10|18
12, avenue d'Italie — Paris XIIIe

Sur l'auteur

Mario Rigoni Stern, Vénitien d'ascendance autrichienne, est né en 1921. Il commence sa vie professionnelle comme employé au cadastre. En 1938, il s'engage dans le conflit de la Seconde Guerre mondiale, au cours de laquelle il combat en France, en Grèce, en Albanie et en Russie. Fait prisonnier par les Allemands en septembre 1943, il parvient à s'évader et à rejoindre à pied son pays natal. C'est cette expérience qu'il raconte dans son premier roman, *Le Sergent dans la neige,* publié en 1953. En 1962, il publie *La Chasse aux coqs de bruyère,* puis deux autres romans consacrés à la guerre, dont *Histoire de Tönle.* Il quitte son emploi au cadastre en 1969 mais continue à vivre sur le plateau d'Asiago, où il consacre son temps à l'amour de sa terre et à l'écriture.

LES SAISONS
DE GIACOMO

PAR

MARIO RIGONI STERN

Traduit de l'italien
par Claude Ambroise
et Sabina Zanon Dal Bo

10|18

« Domaine étranger »
dirigé par Jean-Claude Zylberstein

ROBERT LAFFONT

Titre original :
Le stagioni di Giacomo

© Giulio Einaudi Editore, 1995.
© Éditions Robert Laffont, 1999,
pour la traduction française.
ISBN 2-264-03196-4

1.

J'y ai fait un saut, et il n'y avait personne. Silence alentour comme dans les maisons. Au loin on entendait aboyer un chien et dans le ciel croasser deux corbeaux. La neige était descendue assez bas, jusque sur le Moor. Il faisait froid, mais les cheminées ne fumaient pas. Les portes étaient toutes bien closes et les volets fermés.

Je me rappelais les gens qui habitaient ici, une porte après l'autre, car quand j'étais enfant je montais du village jouer avec mon copain d'école. Je me rappelais où étaient les vaches, où étaient les chevaux, et l'âne. Les potagers bien cultivés aussi, et la fontaine d'où jaillissait une eau très fraîche : d'abord blanche, puis limpide après que l'air qu'elle contenait s'était échappé à la surface du verre.

La porte de la maison la plus petite, la plus vieille aussi, était entrebâillée. Quelqu'un était peut-être entré pour la voir dans l'intention de l'acheter et de la restructurer afin d'en faire une maison de vacances, mais ayant appris ensuite le nombre des propriétaires disséminés en France, aux Amériques et en Australie, il avait renoncé. Ou bien des jeunes de passage, dont on ne sait d'où ils viennent ni où ils vont, avaient dû forcer la porte pour y passer la nuit, et ils étaient repartis le matin suivant.

La porte n'a pas de carreaux, on y a cloué des planches de sapin ; elle n'a ni serrure ni verrou mais une poignée que bloquent un bout de bois et du fil de fer accroché à un clou planté entre les pierres du mur. Je suis entré après avoir frappé par politesse. Le silence et la pénombre étaient remplis de souvenirs qui semblaient demander la parole.

La petite fenêtre tournée vers l'est ne laissait plus voir le paysage, car la bardane et les orties qui avaient poussé dehors obstruaient la vue. On n'apercevait qu'un morceau de ciel.

Dans l'âtre noirci il restait un peu de cendre compacte et dure, pareille à celle qui demeure au fond des sépultures. Le sol était jonché de magazines pleins de publicité et de femmes nues, mais, si on les déplaçait du pied, affleuraient les rameaux secs et quelques feuilles de hêtre. Il y avait encore l'évier en pierre, les crochets où pendre les seaux en cuivre pour l'eau, les étagères où on rangeait la vaisselle et les couverts. Manquaient le poêle de tranchée — il avait été récupéré dans un abri autrichien —, les quatre chaises, le banc et la table. L'emplacement de la table me rappelait que, dessous, on descendait par la trappe au cellier où étaient stockés les pommes de terre, les choux fermentés, le lard et autres charcuteries, après avoir été séchés. Vers le plafond de planches et de poutres, bas pour mieux conserver la chaleur et noirci par la fumée, s'élevait un escalier de bois conduisant aux pièces du haut. Elles étaient petites, sombres, leurs fenêtres minuscules regardaient à travers les murs épais vers l'est en direction du bois.

La Grande Guerre n'avait pas complètement détruit ce hameau, ne l'ayant pas rasé comme ceux d'à côté. Étrangement il était resté debout, bien que sous le tir de toutes les artilleries, encore qu'abandonné, repris et à nouveau abandonné par les Italiens et les Austro-Hongrois. Peut-être parce qu'ici se trouvaient de petits hôpitaux de campagne, comme le montraient les trois cimetières où quatre cents soldats italiens avaient été enterrés ? Ces vieilles maisons avaient seulement été mises à sac et incendiées : les murs étaient toujours les mêmes depuis des siècles, tout comme les grosses poutres de mélèze que le feu n'avait carbonisées qu'en surface.

Maintenant, c'est-à-dire depuis une trentaine d'années, les sept portes du hameau ne s'ouvrent que quand les gens de la ville montent de la plaine pour les vacances. Ils ne sont plus là, les descendants de ceux qui les avaient construites avec les pierres extraites des montagnes et les troncs choisis dans nos bois, qui les avaient réparées en 1920, qui avaient commencé ou achevé ici leur vie, ou qui étaient partis d'ici pour aller travailler au loin, ou à cause de la guerre. On n'allume pas le feu dans les cheminées mais on fait des grillades en plein air en brûlant des saucisses sur les barbecues le week-end. Les jardins sont devenus des parkings. Il n'y a même plus de fontaine car elle empêchait les voitures de manœuvrer. Tout a changé. Ce qui était vivant dans cette maison est très loin, elle est vidée de tout et remplie de silence. Ici était né et avait vécu jusqu'à vingt ans mon copain d'école.

2.

Le village avait été reconstruit, il ne restait plus que quelques baraques çà et là. La nouvelle mairie, tout en blocs de marbre rose, attendait le prince Humbert de Savoie pour l'inauguration. Les six cloches, nouvelles aussi, posées sur les troncs d'arbres devant les portes de l'église, étaient là dans l'attente que le clocher soit terminé, prêtes à gagner leur cage. Quand, finalement, charpentiers et rétameurs eurent fini la coupole en forme d'oignon, Gian Scarpa, qui avait travaillé à Chicago sur les gratte-ciel et qui ne souffrait pas du vertige, fut appelé pour dresser au sommet la croix et sa girouette qui indiquait la direction du vent. Après que Gian fut monté jusque là-haut, suivi du regard de ses concitoyens, on démonta les échafaudages qui avaient exigé tout ce bois.

Les six cloches étaient arrivées de Vérone le 18 mars 1922, en provenance de la même fonderie qui les avait coulées la première fois en 1820. Sans leurs battants, ensemble elles pesaient quatre-vingt-dix-sept quintaux, et il fallut deux gros camions pour les monter jusqu'ici. Le Matio était la plus grande, ou plutôt le plus grand, puis venaient la Maria, la Giovanna, le Toni, la Rita et le Modesto. On les avait baptisées du nom de chacun de ces saints et c'est ainsi qu'elles étaient appelées depuis toujours, par leur petit nom, comme des personnes de notre communauté. Selon la tradition, on sonnait les cloches ainsi : le Matio pour les feux d'incendie, pour éloigner les orages, pour réunir le conseil municipal ; la Maria pour l'angélus ; le Toni tout seul pour le glas des hommes ; la Giovanna toute seule pour le glas des femmes et les deux ensemble sonnaient le glas pour l'enterrement. Elles sonnaient à toute volée toutes les six les jours des grandes fêtes, pour les mariages et pour la fête des conscrits.

On racontait que, non loin de l'endroit où se dressait la première église en troncs d'arbres, on pouvait encore voir, avant la Grande Guerre, les trous où les premières et très vieilles cloches avaient été fondues. Le prêtre de l'époque, au XIVe siècle, avait prêché que plus les cloches contiendraient d'or et d'argent et plus leur son serait puissant et harmonieux. C'est pourquoi, le jour de la fusion, les hommes et les femmes du village jetèrent dans l'alliage incandescent bagues, boucles d'oreilles et colliers. Nos grands-parents racontaient que ces cloches répandaient un son clair et argentin comme les alouettes au printemps. Pour en conserver l'esprit et la mémoire le précieux bronze fut à nouveau fondu, en présence des représentants du peuple, dans d'autres cloches plus grandes en 1820. Le concert des six cloches devint célèbre dans toute la Vénétie ; on montait même de la plaine pour l'écouter.

Ce Matio-là sonna pour la dernière fois le matin du 15 mai 1916, à sept heures, pour aviser la population qu'il fallait abandonner les maisons : les gros obus autrichiens de 381 avaient commencé la destruction du village. Quand, en 1919, les réfugiés revinrent, le clocher lui-même n'existait plus : des cloches, on recueillit des morceaux pour être refondus eux aussi dans les nouvelles, mais comme maigre mémoire.

Pendant près de six ans elles restèrent sur le parvis et Nino, Bruno, Mario, Bibi, Silvano, Rino, Rocco, Toni et un tas d'autres gosses, quand ils jouaient autour de l'église, allaient souvent se cacher dessous. Au cours du jeu, l'un d'entre eux les frappait avec une barre de fer pour qu'elles résonnent et que ceux qui étaient cachés dedans soient obligés de sortir.

Quelques jours avant la fête patronale de saint Matthieu apôtre, elles furent tirées en haut du clocher ; tirées est le mot juste, car autour des treuils, palans, poulies et cordes installés par l'entreprise Masain et Frères, tout le village s'était réuni pour les hisser, comme dans un grand jeu de tir à la corde. Même les enfants des écoles, par l'entremise des enseignants, furent invités à participer. Les cloches avaient été préparées au pied du clocher. Elles furent accrochées l'une après l'autre et montées au moyen d'une grosse corde très longue qui redescendait à terre à travers la charpente préparée dans la cage du clocher. Les gens formaient une longue file qui partait d'en bas du clocher, passait devant la boutique des Stern, remontait le long de la rue des Mazzacavalli et arrivait jusqu'au Croxebech.

Lentement, à la force des bras, le Matio se détacha de terre. Quand il commença à se balancer dans le vide, le brouhaha et les encouragements cessèrent aussitôt ; seuls deux hommes, à la voix tonnante, donnaient les ordres nécessaires, tandis que deux autres groupes, avec des cordes latérales, guidaient l'ascension. Le cœur de tous était avec la grande cloche suspendue dans le vide. Le Matio fut le premier, puis, au fur et à mesure, les autres montèrent.

Giacomo, Nino et Mario étaient là eux aussi, qui tiraient de toutes leurs forces, serrant les dents et serrant la corde. Quand vint le soir les six cloches étaient là-haut, encore quelques jours et elles sonneraient à toute volée en l'honneur de saint Matthieu, patron du village. Le père de Mario donna dix centimes à chacun des trois garçons qui coururent chez la Betta du Toi acheter trois pommes juteuses et vertes pour se restaurer.

3.

L'année 1928 avait été particulièrement chaude et sèche. De mémoire d'homme jamais, chez nous, on n'avait atteint les 39 degrés. L'incendie des bois que la guerre avait épargnés répandait de temps en temps au-dessus du village la fumée âcre des arbres qui brûlaient. Les gens avaient le regard toujours tourné vers le ciel pour voir d'où soufflait le vent, et si par hasard un nuage allait leur apporter un peu de fraîcheur. Cela faisait des mois qu'il ne poussait pas de champignons ; même les guêpes, les frelons et les papillons ne volaient plus au-dessus des potagers où il ne restait rien de vert. Les hêtres, sur les versants ensoleillés, étaient devenus rouges comme à la fin octobre, les feuilles des bouleaux et des érables étaient desséchées ; l'herbe dans les prés était brûlée et mangée par le soleil. Le vent chaud, insistant, et les nuits sans rosée avaient entraîné une léthargie estivale semblable et contraire à la léthargie hivernale. Même là où Dante Pasch avait creusé un petit bassin sur un rocher pour abreuver les oiseaux, dans la partie la plus secrète et la plus ombreuse du bois, il n'était pas resté une goutte d'eau. Les mares où était recueillie l'eau de pluie pour les bêtes au pâturage montraient leur fond craquelé sur lequel étaient restées les empreintes des sabots. Les mamelles des vaches étaient à sec, et dans les seaux il ne coulait que bien peu de lait. Elles hurlaient aux étoiles la nuit ; le jour, dans les endroits les plus ombreux et naguère humides, elles cherchaient quelque chose de vert à ruminer. Les maquignons montaient de la plaine et pour quelques lires achetaient le bétail à ceux qui n'avaient plus rien pour le nourrir. Les oiseaux eux-mêmes avaient cessé de chanter, leur voix n'était plus qu'un cui-cui plaintif.

Même pour les humains l'eau était rare, dans certains hameaux il n'y avait pas de quoi se laver la figure. Des Gavelle — trois heures de route à pied — on venait avec chevaux et charrettes chercher jusqu'à la Rendola l'eau de la Kerla, qui n'avait jamais été complètement à sec. On faisait la queue pour y remplir toutes sortes de récipients. D'où venait cette eau mystérieuse ?

L'incendie du Dubiello fut impressionnant, spectaculaire : les flammes montaient le long des arêtes rocheuses, brûlant comme des torches les mélèzes séculaires, rampant comme des serpents de feu le long des troncs de pins couchés. Il fallut faire appel à l'Armée royale, et deux bataillons du 57e corps d'infanterie montèrent de Vicence. Ils tentèrent d'encercler le feu par le Basazenocio et par la Busa du Molton, comme à la manœuvre, mais quand les flammes atteignirent les Pianori des Galli Cedroni et qu'elles rencontrèrent les obus non explosés de 1916, le colonel donna l'ordre de suspendre l'action. Quelques jours plus tard l'incendie atteignit la route du Prince-Eugène ; finalement, mais seulement sur cette montagne-là, éclata un furieux orage, en provenance de la vallée du Portule, avec des éclairs et de la grêle d'abord et ensuite de la pluie à seaux. C'est ainsi que l'incendie s'éteignit.

En attendant, les milliers de plants d'épicéa destinés au reboisement dans les lieux où s'étaient déroulés les combats avaient séché sur pied, sans espoir de reprise. En septembre, la récolte de pommes de terre fut misérable : de la terre aride et pierreuse on avait du mal à retirer ce qu'on y avait semé. Elles étaient très petites : ça n'aurait pas valu la peine de les ramasser si ce n'est que pour l'hiver il fallait quand même garder quelque chose en réserve.

Il n'y avait pas de travaux pour les hommes. Le village avait été reconstruit, la mairie en dernier, c'est pourquoi jusqu'à ce que le sol gèle en profondeur et que vienne la neige, les gens, bravant la loi, allaient récupérer les obus, les cartouches, le plomb, les barbelés et tout ce qu'on pouvait vendre à l'entreprise Briata. Ceux qui en avaient la possibilité partaient pour l'étranger. Le rêve c'était l'Amérique, mais peu de gens avaient l'argent pour se payer le voyage jusque là-bas. Certains vendaient leurs biens pour le faire. Les plus entreprenants gagnaient la France, c'était un premier pas vers l'Amérique : trente ans avant beaucoup l'avaient fait.

Avec l'hiver vint aussi la faim. « Allez dormir,

disaient les mères aux enfants, comme ça vous n'y penserez plus. »

À la hauteur des premières maisons du village, le podestat avait fait écrire : LA MENDICITÉ EST INTERDITE SUR LE TERRITOIRE DE LA COMMUNE, mais tous les vendredis, des files de pauvres, des vieilles et des enfants, venaient frapper aux portes des maisons du centre et s'arrêtaient devant les boutiques. Après une prière pour les défunts de cette maison, ils demandaient qu'on leur fasse la charité d'une poignée de polenta, d'un morceau de pain ou d'une croûte de fromage. Ils remerciaient avec beaucoup d'empressement : « Que Dieu vous le rende. »

Dans les maisons, le soir tout le monde se retirait très tôt et même les veillées dans les étables s'achevaient plus tôt que d'habitude pour économiser la chandelle. Au début de cet hiver de famine, des femmes et des hommes arrivaient avec leurs voitures à bras, après des heures d'une route pierreuse, dans la cour des Stern pour demander un quintal de farine de maïs :

— D'une façon ou d'une autre on vous paiera, disaient-ils.

— La maison est pleine de gosses.

Et M. Toni disait à ses enfants ou à ses serviteurs :

— Donnez à ces gens et marquez-le sur le grand-livre.

Par un froid après-midi, c'était le 11 février — un hiver glacial avait succédé à cet été si chaud et sec —, les cloches sonnèrent à toute volée. Les gens s'interrogeaient sur les raisons d'une pareille réjouissance. On le sut le jour suivant, quand don Guidi, l'archiprêtre, l'annonça en chaire à la première messe, et que le podestat fit afficher un avis à la population où était expliqué que l'État et l'Église s'étaient réconciliés. Mussolini et le cardinal Gasparri avaient signé les accords. À l'école les institutrices illustrèrent le grand événement.

Quand Giacomo rentra lui aussi à la maison — il avait faim car les deux petites pommes de terre et la tasse de lait du matin avaient été digérées depuis longtemps —, après avoir mangé une assiette de soupe à l'orge avec une tranche de polenta, il raconta à sa mère et à sa grand-mère ce qu'avait expliqué Mme Elisa, la maîtresse :

— Maintenant le pape et le Duce se sont mis d'accord. C'est les deux chefs qui sont à Rome : l'un commande aux âmes et l'autre aux corps. L'un à l'État et l'autre à l'Église.

— Et comme ça, dit la grand-mère, qui était attentive, c'en est fini avec cette histoire du 20 septembre, quand les « septembristes » du village avaient sonné les cloches pour fêter la prise de Rome et que monseigneur Perbacco porta plainte contre eux.

— C'est comment, cette histoire, grand-mère ? Tu me la racontes ? demanda Olga qui tricotait des chaussettes en coton.

— Les gens du parti des Bonnets rouges du maire Silvagni avaient forcé le sonneur à leur donner les clefs, parce que, chez nous, c'est aussi un droit civique que de pouvoir s'en servir.

Le mois d'après on vota et le samedi 23 mars les écoliers eurent vacance toute la journée. L'après-midi du vendredi ils étaient sortis tout contents de l'école, en chahutant, et Titta Baldara, le factotum de l'école, les avait laissés crier. Dans leur cahier ils avaient écrit une dictée où on disait les victoires que le Duce avait remportées contre les factieux, contre la malaria, contre les blasphémateurs, contre la dévaluation et même contre les mouches.

Ils devaient la faire lire à la maison car il y avait une invitation à voter oui à la question : « Approuvez-vous la liste des députés désignés par le Grand Conseil du fascisme ? »

La grand-mère et la mère lurent la dictée :

— Mais nous on ne peut pas voter, dit la mère, et quelqu'un qui pourrait le faire, comme ton père, il est en France.

— Mais pourquoi est-ce que les femmes ne peuvent pas voter ? demanda Olga. Nous, on compte pour rien ?

— Laisse tomber. C'est pas le Duce qui fait bouillir la marmite, conclut la grand-mère.

En mai la grand-mère trouva le moyen d'acheter un demi-sac de pommes de terre de semence qui furent enfouies avec soin dans le champ de la Corda. En juin, pour la vache Bionda on se mit d'accord avec l'alpagiste de Galmarara : à la fin de la saison, une fois les comptes faits, de l'herbe et du lait, on demanderait l'équivalent en fromage.

4.

Au cours élémentaire deuxième année il y avait quarante-cinq élèves. Le 7 octobre l'institutrice avait parlé de lichens, de mousses, d'herbes, d'arbustes et d'arbres ; de spores, de racines et de fûts ; de branches et de feuilles ; de fleurs, de fruits et de graines. À la fin de la leçon de choses elle leur avait demandé d'apporter le lendemain une petite branche, toutes d'une espèce différente. Un expert en botanique viendrait dans la classe parler de l'arbre d'où celle-ci avait été détachée.

Comme toujours pour rentrer à la maison, Giacomo s'était joint aux enfants des hameaux voisins et, après une demi-heure de route, il était entré dans la petite cuisine où la soupe était gardée au chaud dans l'âtre. La grand-mère lui remplit son assiette qu'elle posa sur la table où attendait aussi la polenta. Il se hâta de manger.

— Ta mère et Olga sont montées au champ pour arracher les pommes de terre. Elles t'attendent, dit la grand-mère.

Il se leva et prit dans l'âtre la hachette qui servait à faire le petit bois pour démarrer le feu.

— Qu'est-ce que tu veux faire avec cet outil ?

— Il faut que je coupe une branche d'arbre pour la porter à la maîtresse. C'est à la place des devoirs.

La grand-mère posa l'assiette sur l'évier en marmonnant quelque chose ; lui, après avoir puisé dans le seau et bu une louche d'eau, sortit en refermant la porte.

Giacomo se mit en chemin vers le Spilleche. De ce côté-là il y avait les petits champs en indivis, des essarts en terrasses avec leurs murets en pierre sèche. L'après-midi était limpide et le vent avait balayé le bois et les montagnes, mais on notait plus nettement aussi les lieux où douze ans plus tôt les combats avaient été acharnés. Les pinsons qui venaient de loin s'arrêtaient pour se reposer sur les arbres, avec de courts appels adressés à leurs compagnons qui voulaient continuer leur vol.

— Moi aussi je suis là pour vous aider, dit-il quand il fut à côté de sa mère et de sa sœur dans le champ de pommes de terre.

— T'as mangé ? lui demanda sa mère. Alors trie-les et mets-les dans les sacs parce qu'en cette saison la nuit tombe vite. Mais qu'est-ce que tu veux faire avec la hachette ?

— Il faut que je coupe une branche pour la maîtresse.

— Ça lui servira à vous fouetter ? lui demanda Olga.

Giacomo, courbé en deux, commença à ramasser

les pommes de terre : celles qui avaient été entaillées par la houe, à manger en premier, les plus belles pour la semence ou à manger tant qu'il y en aurait, les petites pour le cochon et les poules. Il ne restait plus que quelques rangées à arracher, et la mère, se redressant et s'appuyant au manche de la houe, dit à Giacomo :

— Fais un saut à la fontaine remplir la gourde d'eau fraîche. Aujourd'hui il a fait chaud.

Marie, la femme de Nin, qui n'était pas très loin, et qui arrachait elle aussi les pommes de terre dans son champ, lui cria :

— Giacomo, tu vas à l'eau ? Ma gourde aussi est vide. Tu veux me rendre un service ?

C'étaient des gourdes autrichiennes en fer émaillé, elles avaient été fabriquées en Bohême et on les trouvait dans les baraques abandonnées. Dix minutes plus tard le garçon était de retour avec l'eau vive et fraîche de la Renzola. Bepi des Pûne, qui se trouvait dans son champ, plus bas, où il égalisait le terrain et brûlait les fanes sèches, monta boire l'eau fraîche et voir aussi la récolte des femmes. Mais Giacomo lui demanda où il pourrait trouver un arbre étrange, pas banal :

— La maîtresse nous a donné comme devoir d'apporter à l'école une branche. Mais il ne faut pas qu'elles soient toutes pareilles. Qu'est-ce que vous me conseillez de couper ?

Ça ne faisait pas longtemps que Bepi était rentré du service militaire. Il avait été envoyé loin, en Sicile, dans la cavalerie légère et non pas près d'ici, dans les chasseurs alpins, comme les autres du pays. Car, en juin 1920, il avait participé aux désordres spontanés, quand les autorités qui représentaient le gouvernement chez nous avaient voulu enlever leur indemnité aux réfugiés, lesquels n'avaient encore ni maisons où habiter ni terrains à cultiver. Bepi sourit, flatté de la question de Giacomo, et il demanda :

— Qui c'est, cette bonne institutrice ?

— C'est la maîtresse boiteuse, répondit-il.

— Il ne faut pas l'appeler comme ça, le réprimanda-t-il. L'institutrice Elisa Runz était une jolie fille, ça a été un accident. Il reprit : En Sicile j'ai vu beaucoup d'arbres étranges, des palmiers, des caroubiers, des orangers, des ornes qui produisent la manne. Mais il n'y en a pas ici ! Et puis c'est trop loin d'aller prendre une branche là-bas. Chez nous tu pourrais couper une branche de bouleau, ou de genévrier, de tremble, de sapin, de frêne, d'érable, de tilleul, de sorbier. Mais si tu vas là-bas, derrière le fenil de Zai, tu trouveras un merisier qui en ce moment a toutes ses feuilles rouges. Peut-être que c'est aussi ce qu'il faut pour ton institutrice. Pour moi, c'est un beau petit arbre.

La récolte de pommes de terre arrachées au sol pierreux était toute à l'intérieur des sacs. Les femmes s'étaient assises sur le rebord du champ pour se reposer et, de ce belvédère, elles regardaient le village, là-bas, dans sa conque entourée de montagnes aux couleurs de l'automne. Bepi alluma sa pipe. Giacomo alla couper la branche qu'on lui avait dite. Bientôt il revint, la tenant en l'air, avec soin, pour ne pas abîmer les feuilles.

Le soleil disparaissait derrière le Pasubio qui avait déjà mis son chapeau blanc. Les corneilles s'appelaient, volant haut pour se regrouper avant d'aller se percher pour la nuit dans les arbres. Un merle vint picorer la terre remuée. Bepi éteignit sa pipe et aida les femmes à charger leurs sacs sur les charrettes, et tous ensemble ils prirent le chemin herbeux du Rossebech. Dans le hameau les cheminées avaient recommencé à fumer.

Depuis le Goazbech ils arrivèrent vite devant la porte de leur maison. Giacomo et Olga portèrent à l'intérieur les sacs de pommes de terre pour les vider ensuite dans les grandes caisses, en bas, dans la petite cave creusée dans le rocher. La mère ranima le feu, et la fumée avant de s'en aller par la cheminée s'attarda sous la hotte.

Pendant ce temps, le soir était venu, par la petite fenêtre n'entrait que la lueur du crépuscule : le rouge du ciel se changeait en violet. Giacomo partit chercher deux seaux d'eau à la fontaine et sur le seuil il s'arrêta pour regarder la branche de merisier : il l'avait enfilée dans la douille de cuivre que sa grand-mère avait achetée aux prisonniers polonais. La mère alla à l'étable traire la Bionda dont les mamelles tarissaient, car la mise bas approchait.

Ils dînèrent de pommes de terre bouillies et salées, avec un peu de lait et un œuf chacun. La lampe accrochée à la poutre au-dessus de la table projetait contre le mur leurs ombres, sans réussir à éclairer les coins de la cuisine. Même le bois dans l'âtre avait fini de flamber et les braises commençaient à s'habiller de cendre. Giacomo se leva de table, il tira d'une de ses poches une poignée de petites pommes de terre, qu'il frotta pour les nettoyer, et il les mit sous la cendre, ramassant la braise autour avec la pelle pour les retrouver le matin, sentant bon et encore chaudes. La grand-mère entassa sur l'évier les écuelles et les cuillères. La mère décrocha la lampe de la poutre et la posa au milieu de la table, se rasseyant ensuite pour repriser de gros bas de coton. Olga se dépêcha de laver la marmite et le reste de la vaisselle. Elle dit, arrangeant ses cheveux :

— Je vais à la veillée dans l'étable des Nappa jusqu'à neuf heures.

— Rappelle-toi que je suis debout à t'attendre, dit la mère.

Giacomo avait sorti de son cartable son livre de classe, où, page 215, il devait étudier le chapitre sur Giuseppe Mazzini et la « Jeune-Italie ». Il lut à voix haute :

— « Les frères Bandiera. Grâce à l'action de la Charbonnerie la lutte était désormais engagée. La douloureuse expérience avait enseigné des moyens plus efficaces pour remporter la victoire finale... », maman, ça veut dire quoi, efficace ?

— Je crois que ça veut dire puissant. Continue à lire.

Il reprit :

— « Pour vaincre il était avant tout nécessaire que les Italiens rassemblent leurs énergies dans un effort unanime des Alpes aux Iles... le triste spectacle des exilés de la Charbonnerie... », maman, ça veut dire quoi, exilés ? Ceux qui quittent leur maison ? Papa, c'est un exilé ?

— Non, ton père est un émigrant. Il est à l'étranger pour travailler. Lis, continue, et puis papa, il est mineur et pas charbonnier.

Giacomo avait interrompu sa lecture et il ne se rappelait plus bien ce que la maîtresse avait expliqué le jour d'avant : les charbonniers utilisaient entre eux un langage particulier et les membres de la Charbonnerie de Mazzini l'avaient appris pour ne pas être compris des gardes autrichiens.

— Explique-moi, grand-mère. Comment est-ce qu'ils ont bien pu faire, les charbonniers qui vivent là-haut sur les montagnes avec leurs ânes et qui font du charbon avec le bois de pins couchés, pour gagner la guerre contre l'Autriche ?... Mais j'ai sommeil. Allons dormir.

Giacomo se leva et rangea le livre dans son cartable : il décrocha la lampe à huile pendue à côté de l'escalier, s'approcha de l'âtre, souffla sur la braise, alluma une brindille de genévrier et l'approcha de la mèche. La petite flamme se dressa claire et droite. La lampe à la main, il monta l'escalier, suivi par la grand-mère.

Le jour suivant, le long des routes qui conduisaient au village, on vit se former les habituels petits groupes de garçons et de filles qui allaient à l'école. Les premiers étaient partis des maisons les plus éloignées quand le soleil avait éclairé la cime du Verena, les derniers quand le bulbe du campanile s'était trouvé éclairé à son tour. Giacomo avait en tête de monter, cet après-midi-là, à la tenderie du Bisachese demander un chardonneret à mettre dans la cuisine, pour égayer l'hiver. Son copain Nino le lui avait promis s'il l'accompagnait jusque là-haut.

Dans la première classe à gauche de l'école communale, ce matin-là, il semblait qu'un bosquet avait poussé. Les enfants étaient tous entrés en brandissant leur branche d'arbre que l'institutrice fit poser sur le pupitre, chacun à sa place. Ce n'est pas que ces quarante-cinq enfants aient apporté quarante-cinq espèces différentes, car il y avait plus d'une branche d'épicéa et de sapin, de hêtre et de peuplier. Mais il y avait également des rameaux d'orme, de tilleul, de mélèze, d'érable, de bouleau, de sorbier avec ses belles baies rouges, de genévrier avec ses baies bleues, de pommier sauvage avec ses petits fruits verts et rouges, de cerisier. Deux garçons du centre avaient même apporté des branches de thuya et de pin argenté qu'ils étaient allés cueillir dans le parc de la Rimembranza. Peut-être que l'institutrice elle-même n'aurait pas été capable de donner des explications pour tous ces arbres. Après les prières du matin et la chanson des chasseurs alpins, l'expert en botanique répartit les branches en gymnospermes et angiospermes et, après encore, en classes, familles et genres. Les élèves suivaient tous la leçon de choses avec intérêt. Le botaniste prenait en main le rameau et faisait lever la main à celui qui l'avait apporté. De cette façon Giacomo n'oublia plus que le cerisier appartient à la classe des dicotylédones, famille des rosacées, genre *Prunus*, et que le cerisier est un arbre aux espèces nombreuses ; celui qu'il avait apporté, c'était l'*avium*.

5.

Écrit à la main sur un morceau de carton blanc ils avaient lu PROCHAINEMENT. Et prochainement signifiait un film de Tom Mix. Les panneaux avec les reproductions des photogrammes étaient cloués sur un cadre devant la porte de l'église. La plus grande le représentait sur son cheval blanc, le chapeau à larges bords et le regard lointain par-delà l'horizon.
— Ça doit vraiment être un beau film, dit Giacomo à Nino et à Mario.

Mais si Nino pouvait demander les cinquante centimes du billet à sa mère et Mario à son grand-père, lui il ne pouvait les demander absolument à personne. Après la messe des enfants dans la chapelle du patronage, en rentrant chez lui il s'interrogeait sur comment passer cet après-midi d'un ennuyeux dimanche de novembre. Autour de la Pozza della Croce il retrouverait les garçons et les filles du hameau, ils inventeraient bien quelque chose, peut-être avec les carreaux de balistite qu'on trouvait dans les champs du Perlio. En attendant, il faisait beau, l'été de la Saint-Martin avait été fidèle au rendez-vous.

Mais cette semaine-là la pensée du film de Tom Mix revenait avec insistance dans sa tête et pour réunir les cinquante centimes du billet il décida d'aller faire de la récupération dans les tranchées du Ghelleraut. À peine revenu de l'école, après avoir mangé l'habituelle soupe d'orge avec une tranche de polenta émiettée dedans, il prit la serfouette et un petit sac en toile.

— Tu penses aller où avec ça ? lui demanda sa mère. Souviens-toi que tu dois aussi aller me casser un peu de bois. Et tu n'as pas de devoirs à faire ?

— Je sors une heure, vers le Ghelleraut.

Là, à peine onze ans auparavant, il y avait eu une batterie. Les gaz et les coups de canon avaient détruit le grand bois. Le terrain était plein de trous d'obus. En effet c'était l'endroit que le capitaine Woschnagg et le sous-lieutenant Kumer avaient choisi pour y placer les six mortiers de 10 : ils voulaient tirer de plein fouet contre les tranchées anglaises qui se trouvaient dans les bois de l'autre côté de la conque. Les deux officiers pensaient que le bois touffu les cacherait à la vue des observateurs ennemis, au moins jusqu'au jour prévu pour l'attaque qui, selon l'empereur Charles, déciderait du sort de la guerre. En fait, ces six pièces d'artillerie, même si elles tirèrent en même temps que cinq cents autres, étaient peu de chose, car en face on en avait plus de mille : anglaises et françaises bien défilées et puis de gros calibres italiens. Si bien que, quand, la nuit du 15 juin 1918, commença sur le Plateau l'opération Radetzky, et que le capitaine Woschnagg commanda « *Feuer !* », ils furent tout de suite découverts à cause des éclairs qui brillaient à travers le bois. Sur les six mortiers tombèrent d'abord quelques coups d'encadrement : longs, courts, à gauche pour faire le triangle, mais ensuite drus et précis. Ils continuèrent à tirer même si autour et au-dessus des batteries explosaient les grands arbres tandis que les défenses s'effritaient à chaque salve. Les Hongrois et les Croates commencèrent l'attaque. Sur la batterie se déchargea une tempête d'obus de tous les types et de tous les calibres : gaz, shrapnel, avec détonateur immédiat et à retardement, de 75, de 105, de 152, de 280 et même de 320. Le capitaine et de nombreux artilleurs tombèrent à côté des pièces. Il n'en resta plus qu'un seul qui tirait encore et le sous-lieutenant Kumer et le caporal Hara apportaient les obus de la réserve à la pièce où le pointeur Mayer faisait feu. Jusqu'à ce qu'arrivât, pendant que le sous-lieutenant et le caporal étaient allés chercher les obus, un coup de 320 qui mit fin à l'engagement.

Giacomo ne pouvait rien savoir de ce qui s'était passé la nuit de ce 15 juin, et entre les trous et les batteries détruites il se mit à creuser pour recueillir des billes de plomb, des morceaux de cuivre, le métal des détonateurs. Il remuait à peine la terre avec la petite houe que son père avait rapportée un jour du Zebio : c'est ainsi qu'il dégagea un crâne avec toutes ses dents blanches et jeunes ; il le regarda, perplexe, sans savoir que faire, à la fin il creusa plus profondément et le recouvrit.

Quand avant la nuit il retourna chez lui, à l'intérieur de son petit sac il avait deux ou trois kilos de plomb et peut-être bien un kilo de cuivre. Il cacha le tout sous la tôle ondulée qui recouvrait le bois pour le feu. Avant dimanche il irait le vendre à Seber. Peut-être même qu'il en tirerait plus de cinquante centimes. Il ne parla de son projet ni à sa mère ni à sa grand-mère ni à sa sœur. Il se mit à casser le bois.

Le samedi suivant il descendit au village avec son petit sac sur l'épaule. Sur l'esplanade terminus du chemin de fer à crémaillère, il y avait des monceaux de ferraille en tout genre, des tas d'obus répartis par calibre, et une presse qui compactait des tonnes de barbelés ; sous les hangars des tas de cartouches, de ceintures en cuivre, de billes en plomb. D'autres enfants attendaient devant le pesage pour vendre leur récolte. Vu leur avait bien dit de se méfier, car Seber voulait faire un prix unique alors qu'il devait payer davantage le cuivre.

Giacomo en tira soixante centimes. Il les compta et les recompta : deux pièces de vingt en nickel et deux piécettes de dix. En retournant vers chez lui il passa devant l'étalage de la Màlgari et il ne put résister à la tentation d'acheter pour dix centimes de châtaignes sèches : en les gardant dans sa bouche pour les mastiquer lentement, elles auraient duré jusqu'à ce qu'il arrive à la maison.

Le dimanche après-midi il alla au catéchisme avec les autres garçons du hameau et jamais sa mère ne l'avait vu aussi content d'y aller.

— Peut-être que je rentrerai tard à la maison, dit-il, parce qu'après le catéchisme je vais au cinéma.

— Avec quel argent vas-tu au cinéma ? lui demanda sa mère.

— Avec l'argent que j'ai gagné en vendant le plomb et le cuivre que j'ai récupérés un après-midi au Ghelleraut. Aujourd'hui on passe *Tom Mix*.

— Tu aurais pu me le donner, cet argent. Il faut que j'achète de la laine pour te tricoter des chaussettes pour l'hiver.

Mais elle le laissa partir sans rien ajouter, estimant que son fils lui aussi, une fois par an, pouvait bien aller au cinéma.

Comme il marchait vers le village, Giacomo pensa que si le temps restait au beau il retournerait au Ghelleraut ramasser du plomb et du cuivre, et que l'argent qu'il en retirerait il le donnerait à sa mère pour la laine. Mais combien en faudrait-il ? Et puis ce crâne lui avait fait une certaine impression. Arrivé à la porte secondaire où Giordano Paris vendait les billets pour les enfants, il rencontra Nino et Mario avec lesquels il se mit dans la queue. Tout le monde poussait mais ça avançait doucement car Giordano devait compter les pièces de cinq, dix et vingt centimes.

Quand commença le film et qu'apparut Tom Mix au galop sur son cheval Tony, on entendit, en même temps, battre des pieds sur le plancher : les souliers cloutés soulevèrent un tourbillon de poussière tournoyant dans le rayon de lumière entre le projecteur et la grande toile blanche de l'écran. Un chœur de voix lut les premiers sous-titres et ensuite il y eut un brusque silence, car on commençait à vivre une merveilleuse histoire, et Bepi, dit Garibaldi, n'avait pas besoin de s'époumoner à crier : « Silence les mômes ! »

Bouche bée, le regard fixe, gesticulant et battant des pieds en cadence avec les sabots des chevaux, les enfants suivaient les aventures de Tom Mix qui, à la fin, arrivait à temps pour libérer la jolie fille séquestrée par les bandits. Quand apparut la dernière course poursuite ils étaient tous debout à crier :

— Cours ! Dépêche-toi ! Ils se sauvent ! Cours ! Cours !

Tous les enfants couraient avec Tom Mix. Une fois finie la première séance, Giordano Paris devait faire sortir les spectateurs pour laisser entrer ceux qui attendaient à l'extérieur. Giacomo chercha à se cacher sous les bancs, mais Bepi Garibaldi le découvrit et le tira par le bras jusque dehors. Il se libéra d'un coup brusque et alla se mêler à ceux qui se pressaient à l'entrée principale où se trouvait Raimondo. Il se glissa dans les jambes des gens qui poussaient ; dans la confusion, il fit voir à Raimondo le morceau de billet qu'il avait conservé, et il n'eut aucune difficulté à revoir *Tom Mix à la rescousse*.

Quand il rentra chez lui il faisait nuit noire, il bruinait, et dans l'air on sentait la neige qui, des bois, se rapprochait vers les hameaux. En route il rencontra Bepi des Pûne et Toni Boulanger qui discutaient de leur dernière partie de cartes jouée à La Rosa. Quand ils notèrent sa présence silencieuse — il était encore envoûté par le film —, ils lui demandèrent d'où il venait à cette heure-ci où il aurait dû être au lit.

— J'ai été au cinéma voir *Tom Mix*, répondit-il.

— C'était bien ? demanda Bepi.

— Très bien ! Il avait un cheval, Tony, qui courait aussi vite que le vent.

— Je ne comprends pas pourquoi il faut donner à un cheval un nom de chrétien, dit Toni Boulanger.

6.

Ce fut un sale hiver que celui de 1929-1930. En Amérique la crise avait éclaté, et chez nous aussi on commençait à en ressentir les conséquences. Les gens attendaient dans l'espérance la fonte des neiges, pour reprendre les travaux de déboisement, encadrés par les forestiers. Dans les caves, les réserves allaient s'amenuisant. Toni Boulanger et Aspio disaient au café que les gens ne mangeaient que des pommes de terre et de la polenta et qu'on gardait le pain pour les femmes en couches et les malades : une seule fournée de dix kilos suffisait pour tous les hameaux des hauts ! Bepi des Pûne ajoutait qu'il se remettrait à faire le berger, comme quand il était enfant, au service des Colpi, et qu'en guise de paye, au lieu d'argent, il se ferait donner par les Dalla Bona quelques agnelles et un bélier, pour commencer un troupeau à son compte.

Dans plus d'une famille on mangeait de la polenta avec le petit-lait, celui qui restait dans le chaudron après la fabrication du fromage et qu'à la coopérative ils vendaient dix centimes la fiasque.

D'Amérique revinrent Nin Sech, Piero Perlio et

Tita Capo, ils étaient partis en 23 quand la reconstruction avait été terminée. En travaillant dix heures ou plus par jour dans les carrières, ils étaient arrivés à mettre de côté un bon pécule. Piero se maria et Nin chercha un endroit où se construire une maison pour y conduire sa Maria : il l'avait épousée avant de partir et, le lendemain de la noce, ils étaient allés sur le Colombara pour y récupérer des cartouches et des shrapnels, du fer aussi, pour avoir de quoi manger en échange.

Après leur retour, les trois amis apprirent que les Stern voulaient vendre les propriétés qu'ils avaient dans leur coin, et ils se hâtèrent de traiter l'affaire, qui aboutit. Un bois et un pâturage furent achetés par les Zai qui avaient déjà une étable bien fournie ; le Pratondo par Tita Capo ; le bois de la Corda, dévasté pendant la guerre, à coups de canon et par le creusement d'ouvrages militaires, fut acheté par Nin et Tita ; de bons prés et un pâturage allèrent enfin à Piero et à Nin. Maintenant ils avaient de quoi travailler ! Après avoir un peu aplani les tranchées et entassé les pierres, ils commencèrent à préparer leurs terrains pour la récolte : foin, céréales, pommes de terre. On les regardait avec envie !

Quand les alouettes revinrent chanter sur les pentes du Moor et du Poltrecche, Matteo fut appelé sous les drapeaux. Il devait se présenter à Bassano où se trouvait le magasin d'habillement de son bataillon. De là, après avoir enfilé l'uniforme et reçu son paquetage, il rejoignit son unité à Gorizia. Avec lui il y avait les appelés du village : Bepi Pegola, Domenico Puncin,

Tita Camparubar et d'autres. Le capitaine Paolo Signorini — on voit qu'il avait de l'estime pour les gens de chez nous — les fit tous verser dans sa compagnie. À Gorizia, ils rencontrèrent les gars du village qui attendaient leur libération ; comme c'est la tradition, ces « anciens » se firent payer une tournée au café.

Après les classes, le serment à la Charte et au roi, les épreuves de tir — Matteo, Bepi et Tita reçurent la qualification de « tireur d'élite », avec l'insigne du fusil de 1891 sur la veste —, ils partirent pour les exercices d'été, le camp mobile et les manœuvres. À pied, sac au dos, à travers la vallée de l'Isonzo, ils gagnèrent Tolmino, puis Caporetto et Plezzo. De là ils marchèrent à travers les montagnes du Canin au Mangart : ces lieux où, durant l'hiver 1915-1916, avaient combattu leurs frères aînés. Sur le Kukla, le capitaine Signorini raconta comment leur bataillon, le 14 février 1916, alla à l'assaut, mais « à cause de la neige très haute et de la réaction de l'ennemi, l'attaque n'eut pas une issue favorable ». L'attaque du Kukla fut répétée le 10 mai, et les bataillons Bassano, Ceva et Saluzzo conquirent la cime. Mais le capitaine n'ajouta pas ce que les villageois savaient, car cela leur avait été raconté par les survivants une fois rentrés chez eux : sur cette même montagne, l'artillerie autrichienne avait déversé un déluge d'obus, et un grand nombre de chasseurs alpins avaient été tués ou blessés. C'est à partir de ce moment-là que chez nous commencèrent à arriver les avis de décès, apportés dans les maisons par le maire et par l'archiprêtre.

Sur ces montagnes-là était aussi arrivé par la suite le bataillon Sette Comuni : les troupes de ligne étaient des recrues, et dans le train se trouvaient les réservistes, mais, racontait le capitaine Signorini, dans les premiers jours de juin on les transféra sur le Plateau. Ce fut la fois où les Autrichiens crièrent dans le silence de la nuit qu'ils avaient conquis le Plateau et que ceux qui voulaient regagner leur maison devaient passer de l'autre côté : les chasseurs alpins du Bassano et du Sette Comuni sortirent des tranchées ; les Autrichiens ne tirèrent pas, et les commandants italiens furent obligés de les transférer en hâte pour qu'ils aillent défendre leurs maisons.

À Matteo comme à ses camarades cela faisait une certaine impression de marcher à travers ces montagnes dont ils avaient tant entendu parler. Si les nôtres, l'Ortigara, le Zebio, les Melette, leur étaient familières, celles-ci, si éloignées, rocheuses et pleines de neige, même en été, avaient quelque chose de mystérieux, de tragique.

Le bataillon, avec Matteo et les autres, gagna ensuite la Valle Trenta et, après un temps de repos, ils reprirent leurs ascensions. Un jour, ils escaladèrent le Monte Nero où le capitaine raconta l'histoire du lieutenant Pico et des chasseurs alpins du bataillon Exilles qui l'avaient conquis. Ils se trouvaient là-haut juste le jour anniversaire de sa conquête, et le capitaine leur fit chanter la chanson du Monte Nero : « Quand pointe l'aube du seize juin / l'artillerie ouvre le feu / le troisième régiment des chasseurs / va conquérir Monte Nero. / Pour arriver à te conquérir /

j'ai perdu bien des camarades / tous jeunes qui avaient vingt ans / leur vie ne revient plus / ... »

Matteo aussi sentit un frisson dans le dos, quand le capitaine donna l'ordre de présenter les armes. Ils terminèrent leurs ascensions en escaladant en plusieurs cordées le Monte Tricorno aux confins de l'Italie. De là-haut ils voyaient l'Autriche et la Yougoslavie. Il n'y avait pas de différence avec le côté italien.

De retour à la caserne, à Gorizia, les jours leur semblaient plus longs et ennuyeux. Vers l'automne ils furent envoyés faire des travaux le long de la frontière. Il s'agissait de remettre en état les chemins muletiers et les sentiers. La vie y était meilleure, aussi parce que l'ordinaire prévoyait un supplément de trois cents grammes de pain plus un quart de vin ; et une lire en sus des trentes centimes habituels. À Noël Matteo eut sa première permission, sept jours plus le voyage. Il put se payer un billet de train car durant les travaux il était arrivé à mettre de côté soixante-dix lires. Le matin de Noël, après la messe de l'aube, il put aussi offrir à Olga une tasse de chocolat.

7.

Giacomo passa en dernière année d'école avec un bon livret, il s'était bien défendu en calcul et en lecture. Quand il rentra à la maison après le dernier jour de classe sa mère lui dit que, pendant les mois de vacances, il irait garder les vaches de son parrain Ménego. On lui donnerait à manger midi et soir et cent lires encore à la fin de la saison. C'était mieux que d'aller dans un alpage, lui expliqua sa mère, car les pâturages étaient proches, et le soir il rentrerait à la maison pour dormir. Ce fut un bon été, chaud mais avec quelques orages. Comme toujours.

Quand les vaches ruminaient à l'ombre, il s'enfonçait un peu dans le bois pour manger des fraises, des myrtilles et des framboises, ou pour chercher des champignons que le soir il rapportait à la maison dans son chapeau. Toujours sans perdre de vue les vaches, il ramassait les billes de plomb et les cartouches qui affleuraient du terrain. En les vendant à l'approche de la rentrée, il pensait en tirer les cinq lires nécessaires pour payer une carte de *balilla* et avoir ainsi l'uniforme et les skis, comme ses camarades qui habitaient dans le centre.

Un jour du début d'août un orage menaçant grandit du côté du lac de Garde. Rapidement il gagna nos montagnes et éclata en grêlons gros comme des œufs de pigeon, avec des éclairs et des coups de tonnerre qui se répercutaient bruyamment dans les vallées. Giacomo vit la foudre s'abattre sur un mélèze proche, et le mélèze se fendre de la cime jusqu'aux racines, comme si une cognée sortie des nuages l'avait frappé. Il eut peur car il était seul, à l'intérieur d'un boyau militaire, et parce qu'après que la foudre était tombée, il lui était resté dans la bouche une étrange saveur, comme de soufre. Les quatre génisses couchées dans le pré, effrayées elles aussi, bondirent sur leurs pattes et se mirent à courir en rond, sautant ensuite la barrière et s'enfonçant dans le bois. Il n'avait pas le courage de les poursuivre pour les faire revenir. Il cria très fort, il les appela par leurs noms à pleins poumons, mais au milieu du vacarme de l'orage, les génisses ne pouvaient pas l'entendre.

Quand le mauvais temps en eut fini, qu'au couchant le ciel redevint clair, et que les alouettes, haut dans le ciel, se remirent à chanter, il alla en courant à la maison de son parrain pour lui dire que les génisses s'étaient enfuies. Ils partirent à leur recherche à trois, les appelant et, avant la nuit, ils entendirent la sonnaille de la Maline qui, dans le Val di Nos, emmenait derrière elle ses compagnes.

Naturellement, Giacomo, lui aussi, ce soir-là, rentra à la maison tard. Il trouva sa mère et sa grand-mère pleines d'inquiétude, cette dernière surtout, car elle s'était rappelée Lena Nappa qui, bien des années auparavant — la grand-mère était encore jeune fille —, avait été frappée par la foudre un jour comme celui-là, alors que sur la Barhütta elle faisait paître les vaches. Giacomo était encore tout trempé, sa mère ranima le feu et le fit se déshabiller, il resta en caleçon. Elle mit les vêtements à sécher et la grand-mère remplit ses chaussures de foin sec et fin.

À la fin des vacances il avait ramassé un bon tas de cartouches et de billes de plomb et peut-être bien trois kilos de cuivre. Chaque soir, quand il rentrait à la maison, il vidait le contenu de ses poches dans une petite caisse à munitions, du type de celles dont on se servait aussi dans nos maisons pour ranger le linge de corps sous le lit. Sa mère savait et elle laissait faire. Elle lui avait simplement bien recommandé de ne pas toucher aux détonateurs, de quelque type que ce soit, car ils pouvaient lui exploser dans les mains, comme c'était arrivé à Bruno de Ebene ; et encore moins aux grenades qui étaient des engins mortels. Elle pensait qu'avec la vente de ce matériel de récupération elle pourrait acheter quelques écheveaux de laine à Piero Ghellar ; elle pourrait même le laisser aller au cinéma une fois. Elle fut au contraire très surprise quand, au début de l'école, Giacomo, un soir, lui dit qu'il voulait vendre ce matériel pour se payer une carte de balilla.

— Mais ça te sert à quoi, un bout de papier avec ton nom ? lui demanda la grand-mère qui écoutait et suivait toujours la marche de la maison.

— Mes copains, au village, ils sont tous balilla. Et après on me donnera l'uniforme, et quand viendra la neige les skis aussi.

— L'uniforme, comme aux soldats ? Mais vous êtes encore des gosses et si on vous pressait le nez il en sortirait du lait, dit la mère.

— On me donnera des habits de skieur avec un bonnet de laine, des grosses chaussettes, des skis et des gants.

— Tout ça pour cinq lires ? Alors ça vaut le coup, dit sa sœur.

— Ça ne me plaît pas beaucoup ; je ne sais pas pourquoi. Mais si on te donne toutes ces affaires pour cinq lires, vas-y, conclut la mère.

Un matin où Riccardo Pûn allait chez Seber avec la charrette et le cheval des Zai pour vendre la camelote qu'il avait récupérée sur le Zebio, Giacomo chargea aussi son matériel de récupération. Il se retrouva avec neuf lires en poche et les quatre qu'il avait en plus il les remit à sa mère, qui pensa qu'elles serviraient de complément pour le manuel scolaire, qui coûtait quand même douze lires.

Un jour de septembre, avant la foire de la Saint-Matthieu, Nin Postier remit à la mère de Giacomo un mandat qui venait de France. C'était de son mari. Et comme elle l'attendait ! Quatre fois par an il lui envoyait presque tout ce qu'il arrivait à économiser après avoir dépensé ce qu'il lui fallait pour vivre. Il avait émigré trois ans auparavant, en 27, quand ici il n'y avait plus eu de travaux en cours et que Tita Sponzio, à la mairie, lui avait dit qu'en France on demandait des mineurs pour la zone de Metz. Ils étaient nombreux à être partis, également des autres hameaux environnants. Pour eux qui étaient presque tous d'anciens chasseurs alpins qui, durant la guerre, avaient creusé des galeries et des tranchées dans le rocher, il ne fut pas difficile de recevoir la qualification de mineur sur leur demande de passeport, laquelle n'était qu'une simple feuille de papier imprimée : « ... Autorisation est donnée pour la remise d'un passeport valable trois ans à destination de la France... » Avec cette feuille pliée dans la poche de la veste et une caisse, comme d'habitude récupérée dans les dépôts de munitions et qui, au lieu de trois obus de 105, contenait maintenant un pantalon de futaine, quelques tricots de corps, trois chemises, quelques paires de chaussettes, deux kilos de pain et une tranche de fromage, ils partirent un matin d'avril au chant du coucou, qui les remplit de mélancolie car l'oiseau, lui, revenait.

Arrivés à Metz après presque deux jours de voyage et ayant changé trois fois de train, ils se présentèrent au bureau du travail où on ne voulut pas les garder ensemble : ils en envoyèrent certains dans la mine de Orne, d'autres dans celle de Boulay-Moselle. Bien qu'ayant la qualification de mineurs et ayant été engagés comme tels, on ne les mit pas à travailler à l'abattage mais à charger et à pousser à la main les wagonnets sur le decauville. Un par wagonnet.

L'Italie et la France avaient conclu un accord sur les salaires, qui fixait la paye à cinquante-cinq francs par jour pour les mineurs et à quarante-quatre pour les manœuvres de galerie, mais dans cette zone de la Lorraine la direction de la Société minière avait fixé les choses autrement : tant par tonne de charbon extrait et ensuite déchargé dans les wagons ferroviaires. De cette façon un mineur n'arrivait jamais à atteindre le salaire établi entre les deux gouvernements et il fallait être très bon pour arriver à quarante-deux francs en travaillant dix heures. Pour les manœuvres qui chargeaient et qui poussaient les wagonnets la paye était de deux francs dix le wagonnet ; mais si le charbon chargé n'arrivait pas à peser une tonne il n'était pas comptabilisé. Et puis on ne tenait pas compte de la distance qui séparait le point de chargement de la décharge, et dans l'attribution des postes de travail les porions y allaient à la tête du client.

Charger et pousser. Décharger et retourner dans la galerie pour charger. Pousser encore avec la sueur et la salive qui se mêlaient au poussier ; une louchée d'eau pour se rincer la bouche de temps en temps et se nettoyer la gorge, un mouchoir à la ceinture pour s'essuyer le front et les yeux. Tout ça pour gagner trente et un francs cinquante par jour avec lesquels payer à la Compagnie minière le loyer pour un logement dans le bloc : une série de baraques moitié en brique et moitié en bois où on vivait par groupes de vingt. Payer aussi la nourriture à la cantine, le charbon pour le chauffage, l'électricité, une bouteille de bière. D'une main ils vous reprenaient ce qu'ils vous avaient donné de l'autre, si bien qu'il ne restait pas grand-chose à envoyer à la famille. Difficilement, après six mois d'économies, le père de Giacomo était arrivé à envoyer chez lui le premier mandat afin de payer les dettes contractées pour le voyage et pour le pauvre trousseau qu'il avait emporté. Maintenant, il envoyait l'argent tous les quatre mois, et toujours ponctuellement arrivait le mandat destiné aux achats de la foire de la Saint-Matthieu, en prévision de l'hiver.

— Bonjour ! dit Nini Facteur. Le mandat est arrivé de la France.

Ils n'avaient rien dans la maison à offrir à Nini qui avait trois heures de marche dans les jambes ; ni vin ni café. Ils s'excusèrent.

— Ça ne fait rien, dit Nini, aujourd'hui il fait chaud et je boirais volontiers un verre d'eau fraîche de votre fontaine.

Le matin suivant la mère de Giacomo alla à la poste avec le mandat dans son sac et devant Mme Ninella, ayant trempé sa plume dans l'encre réglementaire du bureau, elle signa : prénom et nom de jeune fille, suivi de son nom de femme mariée comme sur l'adresse du mandat. Bepi de la poste, le caissier, compta l'argent, et quand il le mit devant elle à travers le guichet de la cloison en planches il lui dit :

— Recomptez-le vous aussi, la femme.

Elle le recompta, troublée, comme ça lui était toujours arrivé les autres fois. Elle avait l'impression qu'il y en avait beaucoup et elle s'embrouilla. Mille pensées lui traversaient le cerveau. Comment le répartir ? Il fallait mettre de côté l'argent pour l'achat du cochon : de quatre-vingts à cent dix lires. Il fallait payer le pain à Toni Boulanger, depuis juillet ça faisait environ cinquante lires : une livre tous les jours, huit cents grammes le dimanche. Giacomo avait besoin d'une paire de chaussures parce que les siennes étaient trop petites et usées, il ne pouvait quand même pas arriver à l'école avec les pieds mouillés. Peut-être qu'il aurait pu se contenter d'une paire de sabots, mais ça s'use vite. Et encore ? Olga aussi aurait besoin d'une chemise en laine.

Elle traversa la place du village et elle entra dans l'église dire une prière à la bienheureuse Jeanne pour son homme. Après, elle s'assit au dernier banc pour faire encore un peu de comptes dans sa tête. Elle sortit.

Arrivée devant la boutique des Stern elle entra — ce serait déjà ça — payer cette dette du dimanche, quand elle descendait au village pour la messe : l'huile, le sucre, les pâtes, le riz, la farine, le savon. Mosè fit les additions à chaque page du livret que la mère de Giacomo avait apporté : le total correspondit à celui du grand-livre, à savoir cent trois lires. Elle paya. Mosè, qui avait fait la guerre avec son homme, écrivit « payé » et il signa, après il lui donna une tranche de pâte de coing en prime. Elle croyait que le compte était plus élevé, aussi elle acheta deux cents grammes de café à faire griller, du moins cher, pour quand sa mère sentait le cœur lui manquer, ainsi qu'une boîte de chicorée Frank et un paquet d'extrait Elefante, pour faire quelquefois du café au lait. Elle prit aussi un grand morceau de savon pour la lessive et un kilo de saponine. Et deux cents grammes de mortadelle coupée fine pour le repas de midi du dimanche.

Ce soir-là, après que tout le monde était allé se coucher, la mère de Giacomo quitta l'âtre où elle reprisait et posa la lampe sur la table. Du cartable de son fils elle sortit le porte-plume et un cahier rayé, elle ouvrit au milieu, souleva les agrafes et détacha une feuille ; puis elle prit la bouteille d'encre et commença à écrire :

8 septembre 1930. Cher mari, j'espère que ma lettre te trouve en bonne santé comme nous. Hier j'ai reçu ton mandat de sept cents francs et aujourd'hui j'ai été à la poste pour le toucher. J'ai payé Toni le Boulanger de trois mois de pain, j'ai aussi payé les Stern et monsieur Mosè te salue bien. À la Saint-Matthieu nous achèterons un beau petit cochon. Je pense aussi faire faire par Tan Millar une paire de chaussures pour Giacomo qui en a vraiment besoin parce qu'il grandit, et aussi acheter cinquante kilos de polenta pour l'hiver. Après la Saint-Matthieu on arrachera les pommes de terre du champ de la Corda. Elles me semblent plus bonnes que l'année dernière. Comme ça avec un peu de lentilles on fera les soupes que tu aimais tant. Nous t'attendons tous pour Noël, ne va pas manquer. Je te recommande, cher Mari, d'être toujours prudent dans la mine. Je pense toujours à toi. Ta fidèle épouse.

Elle signa de son nom de femme mariée avec son prénom ; elle plia la feuille en deux, et elle la plaça sous la douille de cuivre sur l'étagère en pensant qu'un de ces prochains jours, et peut-être même le matin suivant, elle descendrait au village acheter une enveloppe et écrire l'adresse indiquée sur le reçu du mandat.

Pendant ces journées d'automne Giacomo et ses camarades du hameau montaient dans la forêt du Taltebene ramasser du bois à brûler à la maison. Des branches mortes et des bouts de troncs gisaient épars dans le sous-bois ; après les avoir débarrassés avec leurs serpes des frondaisons desséchées, ils les transportaient sur des schlittes jusqu'aux chemins muletiers de la guerre où on pouvait arriver avec une charrette. Même M. Andrea, l'instituteur, par ces clairs après-midi aimait aller au bois dans cette forêt. L'instituteur préférait les souches de hêtre, ces souches tordues dont les racines se glissent dans le sol parmi les pierres. Avec sa pioche il enlevait les pierres tout autour, avec sa hache il coupait les racines découvertes et avec sa masse il donnait de grands coups jusqu'à ce que la souche se détachât de terre comme la dent d'un ogre. Les enfants, quand ils le rencontraient, lui donnaient un coup de main pour faire dévaler les souches dans ce bois où les emplacements des batteries et les tranchées indiquaient que cette montagne avait d'abord appartenu aux uns, puis aux autres.

8.

Olga s'était faite jolie fille et le soir, à la veillée, beaucoup de jeunes gens cherchaient à être à côté d'elle. Avec Maria, Tonina, Bianca et Nina elles formaient un groupe joyeux, et quand elles se retrouvaient ensemble toutes les cinq elles avaient même le courage de provoquer gentiment les jeunes gens qui, quelquefois, finissaient par se laisser intimider par leurs plaisanteries. Mais pas Riccardo qui, bien qu'il n'ait pas encore vingt ans, trouvait le mot juste pour les faire rougir. Matteo avait fini son service militaire et déjà l'hiver précédent, pendant la permission de Noël, il avait montré une attention particulière à l'égard d'Olga. Le dimanche il attendait le moment de l'accompagner à la messe le long de la route qui descendait au village. Quand, sur cette fin d'automne, on alloua le bois de hêtre selon l' « antique usage », après avoir entassé sa part, il alla donner un coup de main à Olga et à Giacomo, auxquels le tirage au sort avait attribué un endroit difficile d'accès, au-dessus du chemin muletier.

Un soir de novembre, avant le dîner, Matteo prit

son courage à deux mains et alla cogner à la porte de la maison d'Olga. Il avait pensé à plusieurs prétextes, à la fin il décida de demander à Giacomo de lui prendre deux mésanges mâles à tenir en cage pour les entendre chanter. Dans la petite cuisine le soir avait déjà pénétré, la lampe n'éclairait pas assez pour qu'on vît qu'Olga avait rougi. Mais la mère comprit tout de suite que les mésanges étaient un prétexte et pour mettre fin à l'embarras elle demanda :

— Mais qu'est-ce que tu veux faire avec deux mésanges ?

— Elles font un joli chant, elles mettent de la gaieté et elles sont une compagnie dans la maison, répondit-il.

— Eh oui, c'est vrai, dit la grand-mère, les mésanges sont gaies. Assieds-toi et mange une pomme de terre avec du sel.

La grand-mère avait reçu les confidences d'Olga et maintenant elle cherchait à briser la glace. Après tout, Matteo était un brave jeune homme, et bien fait aussi.

— Non, merci. Une autre fois où je repasserai.

Cependant il avait pris une pomme de terre dans la terrine et il la mangeait debout.

Il revint, tantôt sous un prétexte, tantôt sous un autre. Même Giacomo comprit que c'était pour sa sœur que Matteo venait à la maison. Jusqu'à ce qu'un soir il déclare qu'il était amoureux d'Olga et qu'il demande à rester.

— Pour moi, c'est très bien, lui dit la mère. Tu peux venir quand tu veux, c'est mieux après dîner.

Mais à une condition — et elle indiquait le réveil sur la tablette de la cheminée —, à neuf heures et demie, toi à la maison et nous au lit. Et puis il faut aussi avoir l'avis de son père qui reviendra peut-être pour Noël.

Ce soir-là il s'arrêta aussi à dîner : pommes de terre bouillies et écrasées avec un pilon dans la marmite, lard gras pilé avec de la sauge, fondu, et versé ensuite bouillant sur les pommes de terre. Après dîner Giacomo posa sur la braise trois morceaux de bois sec et, soufflant dans un canon de fusil, il les fit s'enflammer. Ils approchèrent les chaises et Giacomo s'assit sur la pierre de l'âtre. Matteo roula une cigarette avec du gris.

— Comment va le travail ? lui demanda la mère.

— C'est de plus en plus difficile. On ne travaille plus qu'à planter des plants au printemps, et avec la récupération il faut faire attention parce que le brigadier Caregnato et le garde Rizzo sont devenus sévères et vous mettent des amendes. On m'a proposé de faire exploser des munitions au camp du Tiftellele. Ils me donneraient seize lires par jour.

— C'est un sale boulot ! N'y va pas, intervint la grand-mère.

— Mais votre mari, comment est-ce qu'il s'en sort, en France ?

— La paye serait même bonne, mais la vie est chère. Et puis travailler à la mine, c'est pas comme travailler ici, on risque aussi la silicose. Mais toi, dit-elle en s'adressant à Giacomo, tu n'as pas de devoirs à faire ? Tu as été toute la journée dans les bois !

— Fais-moi tirer une bouffée, dit la grand-mère à Matteo. Fais-moi voir s'il est comme celui que fumait mon pauvre mari.

— J'ai l'histoire à étudier pour mardi. Je prends mon livre.

Giacomo alla vers l'escalier où il avait accroché son cartable. Il prit son livre et retourna auprès du feu. Il l'ouvrit sous la lampe et il commença à lire, d'abord en silence, ensuite à haute voix : « ... l'intervention de l'Italie. Notre peuple avait compris que l'heure était venue d'arracher au joug de l'Autriche les terres occupées et avec un vibrant enthousiasme il avait demandé qu'on déclarât la guerre à l'Autriche... »

— Nous, on n'a rien demandé du tout, l'interrompit la grand-mère. Et le pauvre Tönle ne s'était pas trompé.

Giacomo continua :

« Benito Mussolini, ce grand fils de notre peuple, qui est aujourd'hui le Duce de l'Italie fasciste, enflammait les esprits de sa parole et de ses écrits brûlants de patriotisme... »

— Ce n'est pas vrai du tout, dit encore la grand-mère. Essaye plus loin, si tu trouves écrit quand on a été réfugiés en 16 et quand on est revenus.

Giacomo feuilleta quelques pages en lisant à voix basse çà et là, puis il déclara :

— J'ai trouvé, et il lut : « ... Les chasseurs alpins, ces robustes enfants de nos montagnes, arrachèrent le Monte Nero aux Autrichiens qui estimaient imprenable cette cime à pic sur la vallée de l'Isonzo. En mai 1916 les Autrichiens voulurent prendre leur revanche et, avec des forces considérables et de très nombreux canons, ils donnèrent l'assaut à nos lignes dans le Trentin, après en avoir détruit les défenses grâce à un bombardement épouvantable. Mais après un mois de combats acharnés nos soldats reconquérirent presque tout le terrain qu'ils avaient dû céder au moment de l'attaque surprise... »

Dans ces pages du livre il y avait aussi une photographie avec la description : « Abri dans la montagne » où on voyait des soldats qui posaient, le casque sur la tête, un officier avec ses moustaches, tout fier, sur le toit d'un abri creusé au milieu des arbres.

— On se croirait au théâtre. Cette photographie a été prise dans les bois de chez nous, j'ai l'impression de reconnaître l'endroit. Essaye de lire plus loin, dit la grand-mère.

— « ... À bon droit il nous faut saluer en Benito Mussolini un des éléments décisifs de notre guerre et de notre victoire. Mais il devait aussi être le sauveur de l'Italie dans la période tourmentée qui suivit la guerre. »

La grand-mère ne parla plus. Elle pensait peut-être à son homme mort sur le Kukla, aux conditions dans lesquelles ils avaient dû se sauver en abandonnant tout, à leur vie de réfugiés, à la fièvre espagnole, à l'état dans lequel ils avaient retrouvé leur terre, à son gendre émigré en France bien qu'on ait gagné la guerre ; à la façon dont, en revanche, on racontait l'histoire à l'école. Le silence se fit, Matteo tenait la main d'Olga. Dans l'âtre les braises se revêtaient de cendre. Les yeux de Giacomo se fermaient.

— Mieux vaut aller dormir, dit la mère. Demain matin de bonne heure Zai va venir nous labourer le champ sur le Poltrecche.

Olga accompagna Matteo dehors et pour la faire rentrer sa mère dut la rappeler à haute voix.

9.

Dans les premiers jours de décembre il tomba de la neige, qui fondit avec le redoux de l'Immaculée-Conception, venu du sud. Puis revint le froid de la Sainte-Lucie. Pour la neuvaine de Noël les garçons et les filles du hameau se retrouvaient après dîner autour de la croix de la Pozza Oba pour chanter la *Stella*. Parfois les filles forçaient dans les aigus et les garçons dans les graves, mais le chœur n'était réussi que quand ils chantaient avec leurs voix naturelles, et que le chant se répandait paisible. Il leur arrivait de rester silencieux de temps en temps pour écouter les chœurs des autres hameaux. Au Bald ils chantaient en cimbre !

Giacomo cherchait la compagnie d'Irene. Un soir, sur leurs têtes, après que la lune l'avait annoncé par un grand halo, il commença à neiger à gros flocons, lentement, sans un souffle de vent. Les chœurs semblaient venir de loin, de très loin.

Trois jours avant le 25, un après-midi Giacomo alla appeler Irene pour se rendre au Kunsweldele couper un petit sapin. À l'école on leur avait dit qu'il ne fallait pas faire d'arbre de Noël mais une crèche, parce que l'arbre était une mode étrangère. Chez nous, au contraire, on l'avait toujours fait, et puis ça coûtait moins : quelques bouts de ouate pour imiter la neige, des fils de soie colorée, des pommes de pin rougies et une étoile taillée dans le bois avec un canif et colorée d'un jaune brillant, quatre petites bougies, et l'arbre devenait resplendissant. Cet après-midi-là, vers le coucher du soleil, Giacomo, avec Irene, coupa un petit arbre qui poussait dans un fourré. En sautant joyeusement dans la neige fraîche ils rentrèrent tout heureux à leur hameau où les lampes avaient déjà été allumées. Le 23 son père arriva. Ce soir-là la neige crissait sous les clous des chaussures. Il fit tout seul le trajet de la gare à chez lui. Il avait été absent trois ans. Ça lui semblait trente ans. En montant avec le train il regardait par les fenêtres l'ombre des montagnes contre le ciel étoilé, les villages et les villes éclairés en bas, dans la plaine qui s'éloignait. À ce moment-là il ne se rappelait même plus l'enfermement dans la mine ni la tristesse de la baraque qui l'avaient accompagné jusqu'à la frontière. En proie à l'inquiétude, il avait presque peur d'arriver.

Quand Giovanni arriva à la gare d'où il était parti trois ans avant, personne ne l'attendait. Le matin de leur départ aussi il faisait nuit, mais sous la marquise de bois Giacomo, Olga, sa femme et les femmes et les fils de ses camarades étaient là. Des fenêtres du train ils avaient dit adieu en agitant leurs chapeaux.

Il était descendu. Tuncali, l'agent qui, comme tous les soirs, était de service à l'arrivée du train, le reconnut et le salua cordialement sans se montrer trop expansif toutefois, par respect des formes. Il fut reconnu et salué également par Cecilia, l'employée de la poste, toujours présente pour récupérer son sac. Peut-être que dedans se trouvait aussi sa lettre où il écrivait qu'il reviendrait pour Noël mais qu'il ne savait pas exactement le jour.

D'autres voyageurs étaient descendus en même temps que lui. Tous des gens d'ailleurs, avec des bagages et des skis, qui arrivaient pour les vacances de Noël. Sa petite caisse à la main et un sac de montagne sur le dos il prit la rue Trente-et-Trieste. Sur la place devant la mairie il y avait deux fontaines lumineuses de glace, et les verts, les jaunes, les bleus, les rouges des ampoules brillaient à travers les glaçons des stalactites. Entre les deux fontaines, et faisant cercle, les gens chantaient. Il continua son chemin sans s'arrêter. Il n'entra même pas chez Modesto, du Caffè Nazionale, pour boire un verre de vin brûlé. Il avait hâte d'arriver chez lui. Au-delà de l'école l'éclairage cessait et la route continuait entre deux alignements de pierres dressées. La lumière des étoiles sur la neige dans la nuit sereine éclairait son chemin. Il entendait les chœurs des villageois. Au loin, sur les buttes et sur les pentes, les maisons dispersées s'annonçaient par une lueur qui filtrait des cuisines.

Il marchait. Le poids de la caisse et du sac le faisait suer. La neige crissait sous ses chaussures de mineur et il se rappelait toutes les fois où il avait pris cette route, enfant, pour accompagner sa femme quand elle était jeune fille ; quand il fut libéré en 19 et que le vieux Tana était heureux, lui qui disait que même si tout avait été détruit c'était là le seul endroit au monde où il pouvait vivre. Il marchait et il se rappelait. Il semblait que ses pieds reconnaissaient tout seuls les irrégularités de la route, chaque virage. Avant la dernière côte il posa sa caisse sur la neige et il s'arrêta un moment pour se reposer en s'asseyant sur une pierre. Alors, il eut même envie de rire car, selon les récits de la veillée, c'était justement sur celle-là que Toni Moro avait rencontré le chat parlant. Un soir — qu'on disait — où Toni Moro avait été faire sa cour, il s'était arrêté pour baisser son pantalon derrière la pierre, de l'autre côté de la route et, en se redressant, il avait vu un gros chat noir qui l'observait. Il fit alors une boule de neige qu'il lui lança avec force. Mais il ne l'atteignit pas. Le chat restait immobile, et après, le fixant avec des yeux de braise il lui dit : « Tire-m'en une autre, qu'on voie ! »

Quand il se présenta sur le seuil de la cuisine ils restèrent bouche bée. Après qu'il eut dit « Me voilà », alors ils se levèrent, l'entourèrent, le serrant, le touchant, l'embrassant. Jusqu'à ce que la grand-mère finisse par intervenir :

— Mais laissez-le respirer. Faites-lui déposer son sac.

Il regarda autour de lui pour retrouver ce qu'il avait laissé : tout était comme cela avait toujours été. Sauf qu'il y avait aussi un arbre de Noël dans le coin entre la fenêtre et l'âtre. Il dit :

— Comme c'est beau !

Il voulut ranimer le feu lui-même avec des gestes qui lui redevenaient familiers ; puis il demanda s'il n'y avait pas quelque chose à manger. À cause de l'émotion éprouvée en le revoyant ils n'y avaient pas pensé.

— Il y a de la polenta avec du lait de la Bionda. Mais aussi des *leberbust* frais. On a tué le cochon la semaine dernière. Va là-haut en chercher trois, dit la mère à Giacomo.

Giacomo prit un couteau et il monta quatre à quatre l'escalier qui conduisait aux chambres : dans celle au-dessus de la cuisine, des bâtons accrochés aux poutres du plafond soutenaient saucissons secs, saucissons de couenne, lards maigres et leberbust, ces saucisses faites avec la fressure, du lard et la gorge du cochon, parfumées avec des clous de girofle, du poivre, du sel et un peu de goutte.

Comme s'il était rentré d'une journée de travail dans le bois et non pas de la France après trois ans de mine, il voulut encore étaler lui-même avec la pelle les braises dans l'âtre. Sur le petit gril il posa le plat avec les trois leberbust et sur le grand quatre tranches de polenta. Pour manger il ne voulut même pas se mettre à table. Assis devant le feu il trempait la polenta dans le jus, portant de temps en temps à sa bouche un morceau de viande.

— Vraiment bon, dit-il enfin. C'est toujours Angelo Gaiga qui fait les saucissons ? Je suis fatigué, ajouta-t-il, ça fait presque deux jours que je suis en voyage. Mais je vous ai rapporté quelque chose de la France.

Il quitta la chaleur de l'âtre, posa sur la table la caisse et le sac, ouvrit la caisse et commença à en sortir des choses.

— Ça, c'est pour la grand-mère, dit-il en lui tendant un châle en laine noire, et ça c'est pour toi, continua-t-il, en tendant un autre à fleurs à sa femme. Ces bas fins sont pour Olga et ces trois barres de chocolat pour Giacomo. Pour finir, j'ai ce pain blanc français qu'ils appellent la baguette.

— C'est vraiment Noël ! Merci papa ! s'exclama Giacomo.

— Mais c'est l'heure d'aller se coucher, conclut la grand-mère. Toi, ajouta-t-elle en s'adressant à Olga, viens dormir avec nous dans la pièce du haut. À eux, on va leur laisser la pièce au-dessus de la cuisine qui est la plus chaude. Prends la lampe et allons-y.

10.

Le père de Giacomo avait rapporté de France des économies pour près de trois mille lires. Un petit capital ! Pendant ces mois d'hiver il profita de la tranquillité de sa maison. C'était le premier long repos de sa vie. Certains après-midi il allait jusqu'au café des Fort jouer aux cartes avec Vittorio, Ernesto et Toni Boulanger. Le dimanche après-midi, du village, arrivaient aussi Toni Moro avec Angelina, Ménego Stern, Piero, Nane Scajari et quelques autres. Moro Ballot arrivait avec les filles du hameau et alors Vittorio prenait son accordéon. Ménego Vuz accordait sa guitare et allez ! on se mettait à danser valses et mazurkas. Il suffisait d'un peu de vin pour faire la fête et s'amuser. Matteo, lui aussi dansait, avec Olga.

Matteo reçut une lettre d'Australie ; elle venait d'un frère de son père qui avait émigré là-bas en 1903. Il avait épousé une Anglaise ; mais l'oncle Nicolas n'avait pas d'enfants. Il lui écrivait que s'il était sans travail il pouvait lui en donner un. Il possédait à Melbourne une petite entreprise de construction ; il s'était fait tout seul, en commençant comme simple maçon. Sur les chantiers son neveu Matteo pourrait être l'œil du maître. Quant aux frais de voyage, il s'en chargeait lui-même auprès du Lloyd Triestino.

Avant de lui répondre, Matteo y réfléchit pendant quelques jours. Il voulait aussi en parler avec Olga. Il finit par lui écrire que l'idée d'aller en Australie ne lui déplaisait pas, mais qu'il avait promis à la fille à Giovanni de l'épouser. L'oncle lui écrivit à nouveau en lui proposant deux solutions : « Je paye le voyage pour elle aussi, ou bien tu descends jusqu'ici seul et quand tu auras gagné assez d'argent tu la feras venir à tes frais. »

Quelques soirs après, chez Olga ils en parlèrent longuement. Giacomo écoutait en silence ; après tout, ça l'embêtait d'imaginer sa sœur si loin : l'Australie, il l'avait vu sur le globe, était de l'autre côté de la terre !

— Ce n'est pas juste que ton oncle Nicolas paye aussi le voyage pour Olga ; mais ce n'est pas juste non plus que nous, on se saigne aux quatre veines pour payer pour elle. Et puis il faudra aussi penser à la dot, dit le père après avoir écouté Matteo.

— Si c'est pour la dot, intervint la mère, on peut dire qu'elle est faite. Quand tu m'envoyais l'argent de France je passais toujours chez Piero Ghellar acheter quelque chose. Il ne devrait manquer que les couvertures et quelques draps.

Olga la regarda avec étonnement :

— Et moi qui ne savais rien !

— Ce n'était pas la peine que tu le saches.

— Mais ce n'est pas là le problème. Oui, la dot c'est bien, dit Matteo, mais il s'agit de savoir si on se marie avant, moi je pars et tu me rejoins après, ou bien si tu attends pour me rejoindre que je t'envoie l'argent pour le voyage et on se marie en Australie. Ou bien encore si on se marie par procuration.

— Si je peux dire quelque chose, dit alors la grand-mère, pour payer le voyage d'Olga je suis prête à vendre le pré sur le Moor.

— Et après, à la vache, qu'est-ce qu'on donne à manger ? Au moins de ce pré on retire le lait servant à la maison, l'interrompit la mère de Giacomo.

Le père restait silencieux, absorbé dans ses pensées, regardant le bois que le feu consommait dans l'âtre. Puis il intervint :

— Pour moi, on pourrait faire comme ça : tu pars et tu vas en Australie, quand tu as assez d'argent tu épouses Olga par procuration et elle te rejoint.

— Mais c'est pas demain la veille.

— Si tu as confiance en moi, on pourrait faire comme ça.

— Et alors, pourquoi ne pas nous marier avant ?

— Et après, si tu tombes enceinte, est-ce que tu vas faire le voyage avec l'enfant ? dit la grand-mère. L'Australie, c'est pas la porte à côté !

— Tout compte fait, conclut le père, il vaut peut-être mieux se faire payer le voyage par ton oncle Nicolas. Là-bas, en travaillant pour lui, tu pourras le rembourser et qu'on n'en parle plus.

Et ainsi fut fait. Le père d'Olga ne perdit pas de temps et quelques jours après cette discussion il se rendit à la scierie des Carisc acheter les planches pour fabriquer les malles où ranger la dot ; il choisit de belles planches d'épicéa, sans nœuds. Avec Matteo ils allèrent chez les menuisiers Bepi Pegola et ils firent deux malles robustes avec des ferrures forgées par Patao ; on y rangea avec soin la dot qui avait été complétée par trois couvertures et six paires de draps.

Ce qui avait été décidé, Matteo l'écrivit tout de suite en Australie. L'oncle Nicolas répondit que le voyage pour lui et pour sa femme avait déjà été fixé avec le Lloyd Triestino ; mais il fallut plus de trois mois aux lettres pour aller et revenir. Ayant reçu la confirmation, ils firent préparer les papiers pour les passeports ainsi que les autres certificats demandés par le consulat d'Australie à Venise. En attendant, les bans furent publiés sur la porte de l'église et à la mairie. On fixa le jour de la noce et on arrangea les choses pour qu'après la cérémonie les mariés prennent le train pour Vicence, et de là le train pour Trieste, où le paquebot *Oceania* les attendait pour leur très long voyage de noces. Les malles furent expédiées à l'avance par chemin de fer.

Le matin, avant qu'on descende tous ensemble du hameau au village, dans la maison d'Olga comme dans celle de Matteo furent offerts des gâteaux, du vin doux et du vin sec, du chocolat chaud, du gros et du petit saucisson, du fromage frais et du fromage affiné, du pain de seigle et du pain blanc, du café et de la gnole. On leva son verre à la santé des mariés et on chanta. Sur les buffets on avait exposé les cadeaux, certains plaisants, d'autres utiles. En pensant au long voyage qui les attendait, quelqu'un leur avait offert un jeu de cartes.

Dès que les cloches commencèrent à sonner à toute volée, on se mit en route : devant, les mariés avec leurs témoins et derrière, les parents, les amis et les amies. Giacomo dit à Irene :

— Nous voilà même beau-frère et belle-sœur, et il lui prit la main.

Le petit cortège avançait en silence : le son joyeux des cloches, le matin d'été avec le parfum du foin qui séchait dans les prés et tout ce qu'on voyait alentour avait suscité une forte émotion. Les mariés, qui partaient si loin, sentaient qu'ils laissaient pour toujours leurs montagnes et leur horizon. Ceux qui restaient pensaient que s'en allait aussi une part d'eux-mêmes. Tous marchaient le cœur gros.

11.

Giacomo dans son livre de classe avait lu que le Duce nous avait dotés d'une aviation nombreuse et puissante : elle était devenue la plus forte du monde ! Nous avions « trois escadrilles de reconnaissance, trois escadrilles de chasse, deux de bombardement et deux d'hydravions ». Giacomo imaginait les escadrilles pareilles à celles des grives qui, à l'automne avancé, remplissaient les filets des tenderies. Était-ce parce que nous possédions beaucoup d'avions qu'un camp d'aviation commença à voir le jour dans la plaine la plus vaste et la plus fertile de la conque ? On savait et on racontait qu'en 1915 dans les prairies du hameau de Sbanz se trouvaient les avions, et que c'est justement en partant de là que l'aède D'Annunzio avait volé jusqu'au-dessus de Trente pour lancer du ciel un drapeau tricolore ; et c'est du Sisemol aussi que les planeurs, traînés jusque là-haut par des mulets, avaient été lancés avec des cordes élastiques. Il était même venu des gens d'Allemagne. Mais maintenant il ne s'agissait de rien de moins que de construire un aéroport !

On commença par exproprier tous les terrains que les Sciran avaient au hameau de Ebene ; ensuite les prés des Micheloni, des Zurli et d'autres encore, depuis la maison où avait ses quartiers la compagnie du génie chargée de la récupération du matériel, jusqu'en bas presque au Pach, une centaine d'hectares en tout. L'adjudication des travaux revint à l'entreprise de Cristiano Càstelar.

On abattit les maisons du hameau Micheloni, la ferme du génie, la fruitière. Puis on se mit à aplanir le terrain et à réduire la pente en transportant des milliers de mètres cubes de terre et de gravier avec les wagonnets decauville poussés à bras. Ce fut un remède au chômage, même si la paye des manœuvres, du fait de la réévaluation de la lire voulue par le Duce, avait notablement perdu de son pouvoir d'achat. Les hommes venaient même des villages des environs pour quelques journées de travail. Beaucoup d'entre eux se tenaient au bord du camp d'aviation dans l'attente que quelque pelleteur soit renvoyé faute de rendement. Ils s'avançaient alors pour le remplacer aussitôt.

Les restes de guerre sortaient de la terre sous les coups des pelles et des pioches, et chaque ouvrier avait son petit sac où ranger ce qu'il trouvait : c'était un complément de sa paye. Les obus non explosés, du moins les plus gros, étaient mis de côté pour qu'on les fasse sauter ensuite dans le tunnel du Petareitele.

Maintenant les enfants pour aller à l'école, mais aussi les gens qui voulaient descendre au village depuis les hameaux au nord devaient faire un plus grand tour car les routes avaient été déviées. Pourtant, défiant la surveillance, ils étaient nombreux à traverser l'aéroport en construction tant il est difficile de perdre une habitude qui remonte à plusieurs siècles. Reste qu'à cheminer dans ce vide on éprouvait un malaise, on avait l'impression de se sentir coupé de quelque chose.

Beaucoup de gens âgés, même du village, allaient pendant la journée observer ces travaux frénétiques, et ils hochaient la tête en se disant entre eux que ça aurait pu être un beau champ de pommes de terre que cette plaine mise sens dessus dessous, et qu'il y aurait de quoi faire manger pendant un an cent mille personnes ; ou encore un superbe alpage où emmontagner cent cinquante vaches laitières. Le dimanche, alors que les travaux étaient interrompus, les garçons des hameaux, et Giacomo avec ses amis, lesquels le rejoignaient depuis le village, remettaient sur les rails les wagonnets qui, le samedi, à la fin du travail, avaient été renversés sur les voies. Ils montaient pour dévaler la pente à grande vitesse. Ils descendaient, et ils remontaient en les poussant, pour descendre encore jusqu'à ce qu'ils soient fatigués. Enfin ils les remettaient comme ils les avaient trouvés.

Giovanni, le père de Giacomo, lui aussi, avait été embauché comme manœuvre à une lire dix de l'heure, mais à la fin de la première quinzaine il donna son compte, car il apprit que le Comité chargé d'honorer la mémoire des morts de la guerre payait la somme de deux lires chaque douille en laiton vide ayant servi de conteneur à la charge de lancement des obus de 105. Ce serait le vase à fleurs sur les tombes des morts italiens enterrés au cimetière militaire. Lui, il savait où avaient été placées les batteries autrichiennes pas très loin du hameau, et il se souvenait aussi d'une galerie où beaucoup de douilles avaient été rangées après les tirs, peut-être dans l'intention de les réutiliser. C'est en 1920 qu'il l'avait découverte, l'année où était né Giacomo ; alors, il en avait fait s'effondrer l'entrée car il avait bien d'autres choses à faire, mais maintenant...

Il se mit à sa recherche et il la retrouva. En dégageant l'entrée il lui vint le soupçon que quelqu'un l'avait précédé. En effet, il la trouva vide. Sa déception fut grande : il se rappela tout de suite qu'un soir à la baraque, quand il travaillait à la mine en France, il avait parlé de cette galerie secrète à Nane Runz et que ledit Nane Runz, le samedi même, dès qu'il eut reçu sa paye du comptable, était reparti par le train pour retourner en Italie. Il avait aussi entendu raconter par les Fort que Nane, quelque temps après, avait vendu à Seber un chariot de douilles d'obus.

Il poussa ses recherches dans la zone du Gastagh, où se trouvaient même des cimetières militaires austro-hongrois, et où le vieux Tana avait fait exploser le grand canon. Patiemment et méthodiquement, grâce aussi à l'expérience acquise pendant la guerre, il arriva à déterrer plusieurs douilles de 152, mais comme elles étaient trop grandes pour les tombes il dut les vendre à Seber, se contentant de vingt centimes par kilo.

Quand Giacomo rentrait de l'école, tout de suite

après manger, il grimpait dans la montagne jusqu'à l'endroit où son père lui avait donné rendez-vous et il l'aidait à rapporter à la maison ce qu'il avait récupéré.

Cette manne fut de courte durée : plus d'un, averti de la demande du Comité, s'était voué à la recherche et au bout d'un mois, ou guère plus, sur la tombe de chaque soldat se dressait une douille d'obus avec dedans les fleurs des champs apportées par les femmes et par les enfants. Mais quand le Duce décida de faire la guerre contre l'Éthiopie, on les enleva toutes, et elles furent envoyées dans les fabriques de munitions pour être réutilisées.

12.

Comment pouvait-on rester à la maison par un bel après-midi de printemps, peut-être même à y faire ses devoirs, quand les coucous chantaient dans les bois, et les alouettes dans le ciel au-dessus des prés ? C'est ainsi qu'en sortant de l'école, avant que Nino et Mario ne prennent la rue Monte-Ortigara et que Giacomo n'aille vers son hameau, les enfants décidèrent qu'aussitôt après manger, ils iraient au bois du Ghelleraut en quête de morilles, de nids et de cartouches. Le rendez-vous était au Bersaglio.

Ils se rencontrèrent ponctuellement et ils se mirent en route. Mario, derrière les pierres dressées qui bordaient la route de la Villa Rossi, découvrit un nid de culs-blancs avec six petits œufs bleus tachetés de marron ; il s'en aperçut quand il vit s'envoler la femelle qui était en train de couver :

— Ne les touchez pas ! dit Giacomo. Si elle vient juste de commencer à couver, la mère est capable de les abandonner.

Nino, toujours derrière les pierres dressées, vit les pointes de cinq balles dépasser de la mousse. En l'écartant, il découvrit quatre chargeurs de cartouches autrichiennes.

— Ici, derrière, dit encore Giacomo, un soldat s'était caché pour tirer contre les Italiens, et ces chargeurs ont dû tomber de sa giberne.

Giacomo était fait ainsi : la chose qu'il avait trouvée ou découverte, il devait la relier à un fait, lui trouver un pourquoi, faire une réflexion dessus. Quand ils entendirent d'abord le bourdonnement et qu'ils repérèrent ensuite trois nids de bourdons il dit :

— Faites attention, si c'est des gris avec le cul rouge ils sont méchants. Mais en cette saison il ne devrait pas y en avoir beaucoup. Pour les attraper, c'est mieux en août.

Nino et Mario le savaient aussi, car tous les ans, après la coupe des foins, ils allaient à la chasse aux nids de bourdons le long des pierres qui délimitaient les prés. Ils les repéraient en frappant le sol du pied avec force pour provoquer le bourdonnement ; après quoi, ils mettaient une petite marque pour reconnaître tout de suite l'endroit. Ils revenaient le soir avec une fiasque d'eau et un mouchoir. Ils aspergeaient le nid et les alentours car de cette façon les bourdons se tenaient tranquilles, croyant qu'il pleuvait. Ensuite, ils étendaient dessus le mouchoir et, à deux mains, avec adresse, ils enveloppaient le tout. En portant le mouchoir à l'oreille, on entendait le bourdonnement, et on comprenait à son intensité s'il y avait beaucoup ou peu de bourdons. À la maison, le nid au complet était placé dans une boîte en carton posée sur un rebord de fenêtre. Ce n'est que deux jours plus tard qu'on pratiquait de petits trous par où les insectes pouvaient passer. Parfois ils sortaient sans revenir, d'autres fois ils allaient et venaient comme les abeilles. En automne, avec une paille on pouvait sucer le miel des alvéoles.

Ce jour-là les trois garçons continuèrent leur recherche, regardant sous les genévriers et sous les petits épicéas qui avaient poussé autour des tranchées. Ils allaient ainsi en silence pour découvrir les morilles, sans presque lever la tête, et ils se retrouvèrent au bord d'une clairière loin des sentiers.

— Ohé ! Balilla, où allez-vous ?

Ils entendirent qu'on les appelait.

Quatre hommes étaient assis dans l'herbe, fêtant certainement quelque chose, car devant eux, sur une couverture, étaient posés des verres, une fiasque, du pain, du saucisson, du fromage. Giacomo les reconnut tout de suite, car avec son père il y avait Nin, Angelo et Massimo. Son père dit :

— Viens ici. Où est-ce que vous allez ?

— On va aux morilles.

— Vous en avez trouvé ? En montant aux Busette c'est un bon endroit, mais c'est encore tôt, dit Angelo.

— Mais toi, demanda Nin Sech à Mario, tu n'étais pas passé par ici déjà l'année dernière ?

— Oui, toujours pour les morilles. C'est un bon endroit. Vous m'aviez donné du pain et du fromage.

— Eh oui, cette fois-là aussi c'était le 1er mai, dit Angelo Càstelar. Asseyez-vous avec nous et mangez quelque chose.

Ils leur offrirent du pain et du saucisson. Ils voulurent aussi leur faire boire une goutte de vin rouge et Massimo Ciorgolo demanda s'ils n'avaient pas des devoirs à faire.

— On en a, répondit Nino, mais aujourd'hui c'est une belle journée et on a décidé qu'il valait mieux venir ici.

— Vous avez bien fait. Nous, on ne travaille pas non plus. C'est vraiment une belle journée, répondit le père de Giacomo.

Ils finirent de manger le pain et le saucisson, remercièrent et se remirent en quête de morilles. Quand ils se furent un peu éloignés Mario demanda à Giacomo :

— Mais il fêtait quoi, ton père avec ses amis ?

— Moi je le sais, mais vous ne devez le dire à personne. Aujourd'hui, c'est le 1er Mai, la fête du Travail. Quand ils étaient en France ils le faisaient toujours, mais ici, en Italie, c'est interdit. Je ne sais pas pourquoi c'est interdit.

13.

C'était la fin de l'école et Giacomo fut reçu au certificat d'études avec des résultats où, dans l'ensemble des matières, les « très bien » étaient plus nombreux que les « bien ». Pour lui, comme pour la majorité des enfants, l'école s'arrêtait là.

Si dans la circonscription d'Asiago on comptait à la fin de chaque année scolaire au moins une vingtaine de classes du certificat, au cours complémentaire une classe de garçons et une classe de filles accueillaient tout le monde. La vieille école d'apprentissage avait été supprimée par les autorités et ceux qui pouvaient aller en apprentissage chez un artisan, serrurier, menuisier, tailleur, devaient s'estimer heureux ; naturellement ils n'étaient pas payés et ils n'avaient pas de sécurité sociale, et le samedi le maître ne donnait pas toujours un pourboire à son apprenti pour aller au cinéma. Quelques enfants qui avaient grandi à l'ombre de l'église choisissaient d'aller au séminaire. Aux garçons on disait, mi figue mi raisin :

— Tu veux devenir curé, ou moine, ou mener les vaches au pré ?

Maintenant, Giacomo n'avait plus d'obligations scolaires et il éprouvait un peu de nostalgie pour les camarades qu'il avait quittés : ceux des hameaux au sud, les plus loin, et ceux du centre. Il aurait voulu que sa mère l'inscrive au cours complémentaire, mais le grand nombre de livres et l'inscription coûtaient trop cher, et puis maintenant qu'Olga était en Australie, il était utile à la maison, au travail dans les prés, pour aller au bois, pour cultiver le champ de pommes de terre. Le dernier jour d'école, c'est à lui que l'institutrice avait fait lire la dernière page du manuel : « ... L'Italie n'est pas seulement belle, elle est également grande. Elle a les palais les plus beaux, les églises les plus majestueuses et les plus célèbres, où se pressent les pèlerins du monde entier. Elle est admirée de tous parce qu'elle a les plus grandes collections de belles statues et de beaux tableaux, et qu'elle possède de nombreux signes de sa glorieuse histoire : tours, palais, aqueducs, ruines de villages et de villes très anciennes qui rappellent les temps où elle dominait l'ensemble du monde connu. Le fascisme œuvre pour que l'Italie devienne toujours plus grande. » C'est cela qu'il avait lu de sa voix sonore habituelle, mais après avoir reçu son livret et chanté les hymnes patriotiques, à l'église, pendant la messe en l'honneur de Saint Louis, il pensait que lui, les choses qu'il avait lues, il ne les avait jamais vues. Pourtant, si c'était écrit dans les livres, cela devait être vrai.

Les amis Nino et Mario avaient promis à Giacomo que le premier jour des vacances ils iraient ensemble dans la petite carrière presque secrète où on pouvait trouver un marbre rose veiné de rouge, de jaune, d'orange et de violet. Ils voulaient en ramasser quelques morceaux pour faire les quatre billes nécessaires au jeu du *alt messen* ; ce qui peut se traduire par : « Tire, arrête-toi et mesure. » Peut-être que cette petite carrière vers le Hano, derrière la Maison des Moines, était très ancienne : de mémoire des gens du village on se rendait là pour y chercher les *steiner* qui servaient à fabriquer des billes. De même, c'était l'habitude d'entrer dans la forge de Menno avec de vieilles limes ou des cognées hors d'usage pour se faire forger et tremper des bouchardes et de petits marteaux pour dégrossir et travailler les morceaux de marbre. Il n'y avait pas de forgeron aussi habile que Menno dans la fabrication des outils pour travailler le bois et la pierre. Les billes en marbre finissaient par devenir très belles et parfaitement sphériques si on les faisait tourner l'une après l'autre au moyen d'un trépan à l'intérieur d'une coupelle creusée dans une brique ou dans un morceau de pierre meulière : quand on les léchait, elles laissaient apparaître toutes leurs nuances, et un jeu de quatre pouvait valoir jusqu'à deux lires.

Cet après-midi-là ils allèrent dans la Grebele où on extrayait le marbre. Mario avait apporté avec lui un pain et de la pâte de coing, Nino un autre pain avec du saucisson. Parvenus à l'enclos de Cola Scoa, ils n'attendirent pas plus longtemps pour goûter, après avoir tout partagé en trois. Dommage que les fruits du merisier n'étaient pas encore mûrs.

Ils ramassèrent et trièrent les morceaux de marbre avec soin ; après les avoir mouillés en crachant dessus et nettoyés en les frottant sur leurs culottes pour mieux juger de leur veinure et de leur compacité, ils les rangeaient dans leurs poches. En descendant par la Duncheltellele ils rencontrèrent Matio Perlio et son fils Toni, leur camarade d'école, qui ramenaient les moutons dans l'enclos derrière le Prà del Bersaglio :

— Où allez-vous par ici, les enfants ? demanda Matio.

Giacomo répondit pour tous :

— On est allés chercher les steiner colorées pour faire les billes.

— Très bien. Vous en avez trouvé des belles ? Elles doivent être bien compactes parce qu'après, si vous tirez fort, elles se cassent.

— On le sait, répondit Nino pour tous.

— Billarkindar, demanda Matio, vous la connaissez l'histoire de la pierre fendue, juste où vous êtes assis ? Ici, se mit-il à raconter, là où aujourd'hui il y a cette tranchée, quand j'étais enfant il y avait le champ où Cola Scoa cultivait son orge. Un matin, l'orge avait mûri, Cola trouva son champ tout piétiné et une bonne partie des épis mangée. Il se mit en colère quand il vit sur le sol les empreintes de l'ours. Le soir même il revint avec son fusil de chasse et. se cacha dans la fente. Il attendit, immobile, pendant des heures, pendant presque toute la nuit, et enfin, vers le matin, il entendit chanter les grives. Mais il entendit aussi l'ours descendre par le sentier. Il se prépara à tirer. L'ours arriva au milieu du champ pour casser la croûte et Cola tira avec le premier canon. L'amorce ne s'alluma pas. Il tira avec le second et par chance le coup partit car l'ours, qui l'avait flairé, était sur le point de lui tomber dessus. L'ours roula par terre. Cola bondit hors de la fente du rocher, le couteau à la main. L'ours n'était pas mort et il lui prit le bras entre les dents. Cola hurla si fort que l'ours eut peur et il ouvrit la bouche ; Cola eut vite fait de lui planter son couteau dans le cœur et ainsi mourut l'ours. Moi, je l'ai vu mort, l'ours, j'avais votre âge ; on dit que ça a été le dernier de ces montagnes. Moi, je n'en ai plus vu d'autres.

Ainsi Matio Perlio raconta l'histoire : les trois garçons étaient troublés, ils s'étaient levés et ils regardaient la pierre fendue où Cola s'était caché pour attendre le grand ours, là où il devait y avoir le champ d'orge ; au contraire Toni, le fils de Matio, avait écouté, indifférent, car qui sait combien de fois il avait entendu cette histoire. Mario alla s'allonger à l'intérieur de la fente du rocher et visant avec une branche qu'il avait ramassée, il fit « s'ck » et après « buun » avec la bouche, croyant ainsi imiter le fusil de Cola Scoa. Tout le monde rit.

En rentrant ils s'arrêtèrent pour remplir une gamelle en tôle rouillée de carrés de balistite, la poudre à canon, qui dans ces prés-là était plus abondante que les pierres. Ils pensaient que ce soir ils feraient des pétards avec les boîtes vides de Sidol pour impressionner les filles.

14.

Giacomo et son père, après la récolte du foin, gravissaient le sentier du Camin tous les matins de bonne heure. Ils n'étaient pas les seuls car la récupération du matériel de guerre à l'abandon était restée le seul travail permettant de gagner quelque chose. Et puis les trois mille lires ramenées de France avaient fondu, en raison des frais du mariage d'Olga et aussi parce qu'il avait fallu acheter une vache : ils avaient dû vendre la Bionda à Titta Boucher, « pour cause de vétusté » avait dit le maquignon. Sur le livret d'épargne à la poste il n'était resté que trois cents lires, à conserver en cas de coup dur.

Ils marchaient en silence avec les autres « récupérateurs » ; ils portaient sur l'épaule leurs bêches et leurs pioches, des sacs de jute et un peu de nourriture ; ceux qui le pouvaient, une bouteille de lait. Ils trouvaient l'eau dans quelque galerie, elle tombait goutte à goutte ou suintait entre les strates du rocher là où, dans le temps, quelqu'un avait creusé un petit bassin pour la recueillir.

Dans les endroits où les combats avaient été les

plus âpres, ininterrompus, le bois avait complètement disparu et le terrain avait été bouleversé par les travaux de terrassement d'abord et par les artilleries ensuite. En certains points les rochers, comme sur l'Ortigara, avaient été réduits à l'état de gravier. Là, il suffisait de remuer le sol pour trouver du fer, de la fonte, du plomb, du cuivre, du laiton. Et des restes humains.

Ce n'était pas très intéressant de ramasser du fer parce qu'il était payé quinze centimes le kilo et que porter sur le dos pendant quelques kilomètres cinquante ou soixante-dix kilos pour gagner entre sept et dix lires ne récompensait pas de l'effort fourni. La fonte valait un peu plus, mais guère. Dans tous les cas, quand on en trouvait une certaine quantité, la fonte et le fer étaient entassés bien en vue à proximité de quelque chemin muletier d'où il serait plus facile de les transporter à l'aide d'un traîneau ou d'une charrette. Personne n'aurait eu l'idée de s'emparer de ce matériel car, comme le bois, ce qui avait été ramassé péniblement et disposé bien en vue, avec méthode, devait être considéré comme sacré : un vol de ce genre aurait disqualifié pour toujours devant toute la communauté celui qui l'aurait commis.

Le plomb ramassé était payé vingt centimes le kilo, le laiton quatre-vingts, le cuivre une lire et cinquante centimes. L'explosif, le TNT, qu'il y avait à l'intérieur des obus, faisait l'objet d'un commerce secret avec les propriétaires de carrières, et il était presque toujours troqué contre de la farine, du vin ou de la goutte. Parmi les récupérateurs ceux qui avaient participé à la guerre y avaient acquis de l'expérience et, maintenant, ils reconnaissaient tout de suite les types d'obus, les calibres, les grenades ; et si l'obus était à gaz ou à mitraille ; s'ils étaient italiens, autrichiens, français, anglais. Quant à ceux qui avaient combattu au milieu de ces montagnes qui étaient les leurs, ils se rappelaient bien comment étaient placées les batteries et où elles tiraient ; des magasins et des dépôts et de certains coins perdus où la guerre avait déposé quelque chose. Et comment certaines unités, au cours d'un déplacement, se déchargeaient du poids des munitions, en les cachant entre les fissures des rochers ou dans les ravines.

On arrivait à savoir d'après les restes, les plaques d'identité encore lisibles, les indices tels que couteaux, boîtes de conserve, gamelles, pipes, boîtes à tabac, porte-monnaie, bouteilles, médailles avec saints et madones particuliers, à quel corps appartenaient les morts ; de quelle région d'Italie ou de l'Empire austro-hongrois ils venaient.

Devant les tranchées autrichiennes du Monte Colombara on retrouvait des morceaux de bicyclette et d'os. Les récupérateurs, levant les bras au ciel, disaient : « Mais regarde un peu, ces pauvres bersagliers. Leurs bicyclettes sur l'épaule grimpant sur cette pente où on a du mal à se tenir debout sur ses jambes. Où voulaient-ils aller ? À Trente à bicyclette en passant par les montagnes ? Il faut vraiment dire que les commandants étaient fous ! »

Aux tranchées du Zebio, au contraire, où les Autrichiens avaient eu une double défense de barbelés, des mitrailleuses dans des grottes, des avant-postes, des casemates en béton, quand ils trouvaient des restes et des cartouches de fusils italiens ils commentaient : « Mais comment ont-ils pu faire, ces Sardes, pour arriver jusqu'ici ? »

Pendant l'heure de repos, quand ils se retrouvaient et qu'ils allumaient un feu pour faire griller la polenta et manger ensemble ce qu'ils avaient apporté de chez eux, ils y allaient de leurs commentaires sur ce qu'ils avaient récupéré. Ceux qui avaient été à la guerre observaient que les tranchées autrichiennes étaient creusées profondément et que les défenses en position dominante étaient disposées sur plusieurs lignes, faisant point d'appui ; là les barbelés étaient encore enchevêtrés et impénétrables. Ils racontaient aussi des histoires de patrouilles, de combats, ils rappe-laient des noms d'officiers dans le bien comme dans le mal, des distributions absurdes de vivres et des moments de famine. Maintenant, en faisant ce travail de récupération, ils revoyaient leur guerre, non plus du fond d'une tranchée ou d'un sombre abri creusé dans le rocher, ou comme ils l'avaient vécue au paroxysme d'un combat ou d'un bombardement, mais à l'air libre, de la hauteur, debout, et ça avait un tout autre aspect : plus vaste, plus complexe, plus dramatique aussi. Ces os retrouvés et mis de côté aux abords de la Pozza dell'Agnelizza avaient été ceux de leurs voisins et camarades des bataillons Bassano et Sette Comuni ; ceux qu'ils avaient trouvés parmi les pins couchés des Ponari appartenaient aux *bresciani* du Vestone qui, dans les tranchées du Luzzo, avaient été à leurs côtés.

Ils voyaient aussi d'un autre œil la partie ennemie, à l'intérieur de ces tranchées qui alors leur tiraient dessus ; ils observaient ces arrières où se trouvaient les canons qu'ils n'étaient jamais arrivés à voir, car si quelqu'un était passé par là c'était comme prisonnier, après les événements de décembre 1917 sur les Melette di Foza. Comme Nin Sech qui, avant de finir à Mauthausen, avait vu les routes construites par les Autrichiens, les hôpitaux et les baraquements de Campo Gallina, les téléphériques qui montaient de la Valsugana et des Vezzene. À Campo Gallina, où la neige tient sept mois, ils avaient même construit une église tout en bois, consacrée à sainte Zita, car leur impératrice portait ce prénom. Mais nos chasseurs alpins avaient aussi construit une petite église, juste derrière les tranchées du Monte Luzzo, et une autre à Malga Fossetta, où se trouvaient les hôpitaux pour les blessés de l'Ortigara. Telles étaient les remarques des récupérateurs pendant les heures de repos ; ils disaient aussi :

« Les aumôniers d'un côté comme de l'autre donnaient l'extrême-onction et priaient pour la victoire ; mais les mêmes nous avaient appris qu'il n'y a qu'un seul Seigneur. Qui devait-il écouter, Lui ? À un certain moment Il en aura eu assez et Il aura dit : "Entretuez-vous donc, faites ce que vous voulez. Débrouillez-vous !" »

Les enfants et les femmes qui ramassaient, comme s'ils glanaient, ce qui restait sur le terrain après que les récupérateurs avaient enlevé le plus gros écoutaient en silence et ne commentaient pas.

Un jour le père de Giacomo, en creusant devant la tranchée italienne du Buso del Giasso, découvrit d'abord les chaussures, puis, petit à petit, tout le corps d'un soldat autrichien, ou plutôt hongrois, comme il le devina d'après le nom et les renseignements qu'il lut sur la plaque d'identité. Il avait à peine vingt ans quand il était venu mourir de si loin au milieu de nos montagnes. Il avait les cartouches dans sa giberne, des grenades dans sa musette, le masque à gaz, un poignard à la ceinture ; dans la poche de sa veste une médaille à l'effigie de François-Joseph et une autre petite, en métal blanc, représentant saint Étienne. Une montre aussi. Une grosse montre de poche avec une chaîne en argent passée au travers des boutonnières de la veste, qu'il désenfila. Elle était bien conservée, le boîtier était à double fond et elle avait un couvercle sur le cadran ; peut-être qu'elle s'était arrêtée non pas à cause de la balle meutrière ou de l'obus, mais parce que le ressort était arrivé à la fin. Silencieux le père de Giacomo laissait aller son regard de la montre qu'il tenait dans le creux de sa main aux restes de cet homme qu'il avait dégagé d'entre les cailloux devant la tranchée italienne. Cela avait dû se passer la nuit où eux étaient venus en patrouille et où lui était en sentinelle. Il avait donné l'alerte en tirant la corde reliée à l'abri et qui agitait les boîtes de conserve vides. Le caporal Gigi Frello était arrivé le premier et il s'était mis à la mitrailleuse. Puis la batterie de

Campofilon était également intervenue. Il poussa un soupir. Avec ses doigts jaunis par le TNT il tourna lentement le remontoir puis porta la montre à son oreille. Elle marchait ! De l'ongle il ouvrit le couvercle et le fond, et il regarda tourner les mécanismes. Il la mit lentement dans sa poche, après quoi, se baissant, il ramassa et mit de côté sur une pierre ce qui pouvait être récupéré. Puis il recouvrit de pelletées de terre le corps du soldat hongrois.

Giacomo avait assisté avec étonnement à toute l'opération, en silence, et quand son père le regarda et dit : « C'était un Hongrois. Lui aussi il avait une mère et une maison où on l'attendait », il éprouva une forte émotion et il s'éloigna. Peut-être voulait-il demander quelque chose, pourquoi son père s'était comporté ainsi, pourquoi la guerre. Mais il ne savait pas s'expliquer. Il ne parla pas de la journée.

Ce soir-là quand ils rentrèrent à la maison ils avaient un bon chargement de cartouches autrichiennes trouvées dans une anfractuosité où un soldat, quinze ans auparavant, les avait cachées. Les jours d'hiver, quand il serait impossible d'aller dans la montagne, ils les désamorceraient pour récupérer la poudre de balistite recherchée des chasseurs, séparant les douilles des balles, afin de les faire fondre ensuite sur le feu dans un casque, et détacher le plomb de son enveloppe, laquelle était dans les balles autrichiennes, à la différence des italiennes, en fer-blanc. Mais ça, la grand-mère et la mère sauraient le faire. Le père, le soir même, fit voir la montre et les médailles et il raconta comment il les avait récupérées. La grand-mère commenta :

— Les gens de chez nous qui allaient travailler en Hongrie ont toujours été contents. C'est ce que disait aussi le pauvre Tönle. Tout ça c'est la faute à Victor-Emmanuel et au Kaiser Franz.

Le père regarda le réveil sur l'étagère et il régla la montre en disant :

— Les heures hongroises sont comme les nôtres. Je n'ai jamais eu de montre : vois un peu de quelle sale façon je suis arrivé à en avoir une.

Il avait l'impression d'être un voleur.

Un après-midi de ce même été, sur le tard, on entendit une explosion du côté du Monte Forno. Seuls les récupérateurs chevronnés comprirent qu'elle n'était pas volontaire, comme celles que beaucoup déclenchaient dans les galeries en brisant au TNT les obus non explosés, ce qui ne causait jamais de déflagration mais un bruit étouffé, moelleux, différent de celui-ci qui était sec et violent, et qu'avait suivi un étrange silence sur toutes les montagnes.

Aussitôt la nouvelle que deux amis d'un village voisin avaient été déchiquetés par l'explosion d'une grosse grenade qu'ils voulaient désamorcer, transmise de bouche à oreille, arriva aux récupérateurs, aux bergers, aux vachers, à tous les hameaux. L'angoisse dura jusqu'à ce que chacun ait vu rentrer les siens à la maison. Après, quand on sut de qui il s'agissait, les femmes se réunirent devant les oratoires des hameaux pour dire le chapelet et les litanies *ora pro eis* et non *ora pro nobis*.

Les récupérateurs allèrent tous à l'enterrement des deux amis, et les voisins les plus proches portèrent les deux cercueils sur leurs épaules de l'église au cimetière. Les cercueils ne pesaient pas lourd car les deux corps avaient été éparpillés parmi les pins couchés, les rhododendrons, les rochers, et on ne put pas ramasser grand-chose. Tout le monde ne le savait pas, mais ceux qui en avaient eu connaissance pensaient, pendant la cérémonie, à ces milliers de soldats qui avaient connu la même fin : la mention « porté disparu » avait mis un point final à une vie et réglé l'affaire entre le bureau de recrutement et la famille. Et combien de récupérateurs, combien encore, finiraient ainsi ? Mais ils ne voulaient pas l'admettre : individuellement, face à un accident de ce genre, leur intention était bien de ne jamais courir de risques au-delà d'une certaine limite, de renoncer à certains obus. Et puis eux, ils s'y connaissaient mieux.

Pendant quelques jours après l'accident, certains se promirent de ne plus recommencer ce travail de désespéré, mais Vu, qui n'avait jamais cessé de le faire, disait que l'homme sage acquiert de la prudence coûte que coûte et que, comme il était écrit dans la Bible, il tient sa vie dans sa main droite et dans sa main gauche la richesse.

15.

L'automne était arrivé vite et d'un coup, et les pluies insistantes qui accompagnent toujours le passage des bécasses avaient ralenti les sorties des récupérateurs. Un dimanche de novembre dans l'après-midi, quatre amis s'étaient retrouvés sous l'auvent de Piero Ghellar. Les mains dans les poches, transis, ils contemplaient la tristesse planant sur la place et dans les rues. Ils venaient de compter leur argent pour voir combien ils avaient en poche et l'un d'eux explosa :

— En s'y mettant à quatre on n'arrive même pas à réunir quatre lires pour le cinéma. Même pas une lire pour boire un demi-litre de vin au bistrot. Est-ce que c'est une vie ?

— Moi, je m'inscris au parti fasciste, ensuite, je fais une demande pour la milice des frontières.

— Ce serait mieux dans la milice des forêts, lui dit le premier.

— Là, c'est plus difficile. Il faut être pistonné. Et puis qui sait quand ils vont publier les avis de recrutement, dit un autre.

— Demain je vais à la mairie voir s'il y en a,

reprit le premier. N'importe quel recrutement. Ici on ne peut plus rester. S'il le faut, je vais en Suisse sans passeport travailler dans les chantiers en haute montagne, là où est Toni Ballot.

— À côté des bains publics, là où ils mettent les avis, j'ai l'impression d'en avoir vu un. On va y voir ?

Ils s'approchèrent pour lire. C'était un appel à s'engager dans les carabiniers royaux pour une durée de deux ans, avec possibilité de rengagement et incorporation définitive. Après l'avoir lu attentivement à voix haute, celui d'entre eux qui voulait partir à tout prix dit :

— Demain matin je vais à l'état civil demander les papiers. Pour les frais de papier timbré je vendrai le matériel que j'ai mis de côté dans une baraque.

— Eh non, dit un autre, moi, dans les carabiniers, j'y vais pas. J'attends l'avis pour la milice des forêts. En attendant, je m'inscrirai au parti fasciste et j'espère qu'entre-temps je ne recevrai pas mon avis d'incorporation.

Il s'agissait de ce papier qui vous convoquait pour le service militaire et qui donnait droit à un voyage gratis de chez soi à la caserne à laquelle on était destiné.

Par la route, pendant ce temps, montait Albino Vu à pas lents. Ils lui dirent bonjour, avant de lui demander :

— Vous allez au cinéma ?

— Au ciné ? Ce n'est pas la peine d'aller au cinématographe. La vie, c'est déjà du cinéma. Hier soir j'ai bu un peu et j'ai passé la nuit chez les carabiniers. C'est des braves gens. Maintenant que la cuite est passée je retourne au Boscosecco.

Il s'arrêta pour respirer profondément car depuis longtemps il n'avait pas fait un aussi long discours. Mais ces quatre-là il les connaissait depuis longtemps, du temps où ils étaient enfants et qu'ils allaient à la chasse avec des fusils alésés.

— On passe un beau film, avec une belle actrice, qui s'appelle Greta Garbo : elle joue le rôle de la reine de Suède, dit celui qui voulait aller dans la milice des forêts.

— Les femmes même si elles sont gracieuses et belles vous ne devez pas écouter leurs mensonges, répondit Vu en reprenant son pas de traînard, son sac de récupérateur sur le dos.

On racontait que Albino Vu était comme ça parce qu'au retour de la guerre il avait découvert que, pendant qu'il était dans les tranchées, sa femme se payait du bon temps avec un ami à lui qui avait été réformé. Depuis, il avait quitté son village, sa maison et tout le reste pour se retirer dans les montagnes et vivre là où il avait combattu et perdu tant d'amis sincères. Même durant l'hiver il restait terré dans quelque alpage ou dans quelque abri de guerre à attendre le printemps. Il lui suffisait de peu pour vivre, de très peu. Ce qu'il récupérait valait plus par la qualité que par la quantité et n'était jamais volumineux : de la poudre sèche pour les chasseurs auxquels il demandait en échange des vieilles chaussures ou des vieux vêtements ; le cuivre, il le vendait à Seber pour acheter ensuite la nourriture qu'il estimait nécessaire pour une certaine période, jamais davantage ; ce qui lui restait, il le dépensait en vin chez Pozza ou chez Toni della Pesa où il tenait des discours philosophiques avec Gigi Motocycliste. Les quatre copains le regardèrent s'éloigner. Il chantait une chanson qui mettait de la gaieté dans la rue.

La crise survint pour les récupérateurs car avec la réévaluation de la lire le prix des métaux baissa. Mais la milice des forêts et les gardes forestiers communaux furent encore davantage responsables de cette crise : ils disaient que les récupérateurs, en creusant, abîmaient la couverture herbeuse des prés et que, dans la zone boisée, ils nuisaient au renouvellement en gênant la croissance des jeunes plantes. Pour ces raisons il y eut des dénonciations à l'autorité judiciaire, suivies d'amendes et même d'emprisonnement.

Un jour, à l'approche de l'été de 1931, on apprit que le parti national fasciste organiserait, chez nous précisément, un grand camp pour les enfants des Italiens à l'étranger. Les prés fertiles de la Rendola avaient été choisis : ils furent fauchés et le foin ramassé avant le temps. Les récupérateurs finissaient par dire :

— Nous, ils nous mettent une amende si on creuse dans la caillasse et à ces gens qui bousillent les plus beaux prés on leur fait même une fête.

Le père de Giacomo, saisi par la curiosité, voulut un après-midi aller jusqu'à la Rendola pour voir ce fameux camp. On y marquait les emplacements pour les tentes, mettant en place les cuisines et creusant des fossés pour les latrines. Deux ouvriers de la mairie travaillaient avec des inconnus, peut-être des volontaires de la Milice pour la sécurité nationale, venus de la plaine.

— Toi ! lui dit à un certain moment un homme en short, le torse nu. Est-ce que tu veux travailler, toi ?

— Oui, mais pas pour rien.

— Ôte ta veste et viens ici.

C'est ainsi que le père de Giacomo eut du travail pour presque deux mois. Au début il s'était agi d'installer les tentes en les alignant conformément au plan ; en quittant la route du village on s'engageait dans une allée à l'entrée de laquelle étaient plantés deux grands mâts avec des drapeaux tricolores et l'écusson de la famille de Savoie ; le long de l'allée, encore des mâts avec des drapeaux jusqu'à la crête de la colline en pente douce, où trônait un grand portrait de Mussolini avec sa tête tondue. Et tout autour l'esplanade, pour les rassemblements, pour hisser et amener les couleurs. Une tente pouvait contenir jusqu'à une vingtaine de jeunes et sur les lits de camp superposés, en fer et en toile, il y avait de la place pour un millier d'« avant-gardistes ». Il fallut avoir recours à une conduite d'eau provisoire branchée sur l'aqueduc communal, installer les points d'eau avec des dizaines de robinets. Bref, un grand travail. Le père de Giacomo montra tout de suite qu'il s'y connaissait. Le soir, quand il rentrait, dans les poches de sa veste il avait toujours quelque chose : du pain, des morceaux de pâte de coing emballés dans du papier de soie, de la mortadelle ; c'était parce qu'à midi on lui donnait un repas abondant et que le goûter de cinq heures lui semblait du gaspillage ; tout ce qui était en plus était bon pour le dîner, à la maison.

Au bout de quinze jours arrivèrent le *federale*, le podestat et d'autres autorités qui venaient de Rome pour voir où en était le camp Mussolini. Les chauffeurs et les accompagnateurs bondissaient comme des automates.

— Vous êtes en retard, dit le federale. Il faut accélérer. Préparez aussi les arcs de triomphe avec des branches de sapin et les faisceaux, comme il faut, les verges et les haches liées ensemble. Et aux guérites pour les sentinelles, vous y avez pensé ? Demain devrait arriver le camion avec les mousquets. Vous vous êtes occupés des râteliers ? Et que ça saute !

Afin d'accélérer les travaux, vu qu'après manger les miliciens volontaires disparaissaient dans les tentes les plus éloignées pour une petite sieste, le père de Giacomo conseilla au directeur de prendre d'autres ouvriers.

— J'en connais deux qui sont bons, dit-il, des gens qui savent travailler et qui ne renâclent pas à la besogne.

— Il faut peut-être faire comme ça. Fais-les venir demain matin. Je veux les voir à l'essai.

Le lendemain Giovanni se présenta avec Moro et Moleta, récupérateurs. Moro Soll, en braillant avec les miliciens, Moleta, en silence, donnèrent une nouvelle impulsion aux travaux.

Les arrivées commencèrent par le petit train à crémaillère. « Les avant-gardistes, fils des Italiens à l'étranger, écoutant avec affection la grande voix de leur Mère, sont venus sur le haut Plateau de tous les points du monde : des zones torrides de l'Afrique et des zones brumeuses du Nord, des lointaines Amériques aux Nations proches d'au-delà des Alpes. Au camp Mussolini, l'idiome de Dante a retrouvé le chemin du cœur de chacun, parmi tant de barbarismes, la langue de la patrie, doux véhicule de foi et rempart solide de la nationalité, s'est affirmée dans sa fascinante douceur. Et les jeunes visitant ces monts pourront ressentir la beauté des récits héroïques que souvent leurs pères — engagés volontaires — leur avaient fait entendre dans une terre lointaine, au milieu d'un sang étranger, et, interprétant l'éloquence muette des souvenirs, ils se sentiront avec encore plus de force orgueilleux d'être les enfants de l'Italie... », ainsi fut-il écrit.

Un jour le directeur, dont le père de Giacomo sut par la suite que c'était un adjudant des bersagliers prêté par l'armée, lui demanda s'il savait aussi cuisiner. Il n'y pensa pas à deux fois et dit que oui ; de cette façon lui, ainsi que Moro Soll, firent leur entrée dans les cuisines comme aides des cuisiniers professionnels.

Au camp les arrivées avaient pris fin. Les journées étaient réglées par le son du clairon : réveil, petit déjeuner, rassemblement, lever des couleurs, prière pour le roi, pour le Duce, pour la patrie, pour les familles lointaines. Chœurs : *Sole che sorgi, Giovinezza*. Après gymnastique, instruction en ordre serré avec le mousquet, jeux collectifs pour « inculquer la discipline ou le sens de l'ordre ; pour conférer une belle prestance, l'esprit de décision, la rapidité dans l'action, pour améliorer le fonctionnement des organes ». Les équipes sortaient aussi, allant en excursion sur les monts sacrés de la patrie ; les gars chantaient en marchant :

« Nous sommes les fascistes à l'étranger / qui avancent / d'un pas rapide / et sans écart / de Mussolini nous sommes l'élite / nous savons combattre / nous savons mourir. / Si les communistes montrent leur museau / tape dessus ! / à coups de pied, à coups de poing / tape dessus ! / Et pour mieux leur apprendre / tape dessus ! / on leur soldera leur compte à la matraque ! / À la matraque ! »

Quand ils entendaient chanter ça Giovanni et Moro faisaient non de la tête et tout bas ils disaient : « Pauvre Italie. »

Le soir après la soupe, les couleurs et le changement de la garde à l'entrée du camp, il y avait quartier libre. Les avant-gardistes avec leurs uniformes fringants, par groupes, baguenaudaient dans les rues du village, cherchant à causer aux filles. Pour les impressionner ils parlaient en langue étrangère et, en italien, ils disaient des gros mots. Mario et Nino connurent des avant-gardistes qui venaient de Casablanca et de Salonique et avec eux, en compagnie des filles, ils jouaient sur la chaussée de la rue Monte-Ortigara.

Un matin les hiérarques locaux accompagnés du podestat rendirent visite au camp et, voyant au travail dans la cuisine le père de Giacomo, ils firent des remontrances « s'agissant d'un élément suspect, non inscrit au parti fasciste ». Le Bersaglier, c'est ainsi qu'on appelait désormais le directeur technique du camp Mussolini, répondit à ces hiérarques que pour lui il n'y avait pas de problème et qu'il s'en moquait que Giovanni soit Chemise blanche, noire, rouge ou jaune. Mais un soir, alors qu'après la distribution de la soupe le père de Giacomo s'était éloigné vers un petit bois de la Villa Rossi avec ce qui était resté dans les marmites, se produisit l'incident qui le fit presque mettre à la porte. Encore une fois ce fut le Bersaglier qui le défendit devant le père Salsa, l'héroïque aumônier qui, au-dessus de la croix rouge de sa poitrine, laissait voir trois rangs de décorations. Il était arrivé au camp pour transmettre aux jeunes des Faisceaux à l'étranger la voix de la foi et de la patrie.

Giovanni s'était mis d'accord avec Giacomo et avec les autres garçons du hameau pour qu'arrive à leurs maisons ce qui resterait après la distribution : pâtes ou soupe. Les enfants avec leurs récipients, tous les midis et tous les soirs, l'attendaient cachés à l'intérieur d'une tranchée. Le père Salsa le surprit juste au moment où il versait avec une louche les pâtes de la marmite dans les casseroles.

— Que fais-tu là ? Je t'ai pris la main dans le sac, voleur !

— Mon père, c'était en plus. Ça restait, et plutôt que de les jeter...

— Si c'était en plus, tu devais les mettre de côté pour les cochons du paysan.

— Mais elles sont bonnes, ce serait dommage de

les donner aux cochons. Et ces enfants-là, ils ont faim.

— C'est des fainéants, des vauriens. Il ne faut plus qu'ils se fassent voir aux abords du camp Mussolini. Ils sont un déshonneur pour l'Italie. Allez ! Allez-vous-en ! En vitesse !

Les enfants s'éloignèrent pleins d'amertume ; ils se sauvaient presque avec ces quelques pâtes que le père de Giacomo était arrivé à distribuer. Ce qui restait dans la marmite, le père Salsa le fit verser par terre, après quoi il alla chez le Bersaglier dénoncer le fait :

— Ces choses-là ne doivent plus se produire. Nos garçons qui viennent de l'étranger ne doivent pas les voir. C'est une honte ! Chassez cet homme !

— Cet homme travaille comme cinq miliciens. Je veillerai à ce que ça ne se produise plus.

Ce soir-là quand Giovanni et Moro Soll s'en retournèrent chez eux après avoir mis de l'ordre dans la cuisine et préparé café au lait et chocolat pour le lendemain, ils se mirent d'accord sur la tactique à adopter. Le père Salsa à une certaine heure allait manger à la Croce Bianca : Moro le surveillerait et, au bon moment, il sifflerait les enfants qui, jusqu'à cet appel, devaient rester bien cachés dans le bosquet. Le Bersaglier fit mine de ne pas voir et pendant tout le mois les enfants du hameau, mais pas eux seulement, savourèrent les bonnes pâtes et les bonnes soupes du camp Mussolini. La chose se répéta l'année suivante.

Au printemps de 1932 commencèrent les travaux

pour l'édification d'un ossuaire monumental sur la colline des Laiten, en face du hameau où se trouvaient encore les ruines des maisons qui n'avaient pas été reconstruites. Sur cette colline les enfants du village étaient toujours montés pour jouer, et leurs pères aussi.

Au printemps dans le ciel s'élevaient les cerfs-volants, les dragons comme on les appelait. Vittorino de la pharmacie était le plus habile dans la construction de cerfs-volants vraiment uniques avec du papier huilé, de la colle et des baguettes de bambou ; il avait aussi fabriqué un petit appareil en bois avec des axes en fer, une espèce de moulinet, servant à fournir ou à retirer la ficelle selon ce qu'il en fallait au dragon tout là-haut, plus haut que les alouettes, que les corbeaux et les faucons qui voltigeaient parfois au-dessous de lui.

En été, dans ces prés-là, défiant les propriétaires qui ne voulaient pas que l'on piétinât leur herbe, les garçons et les filles, avant la fenaison, allaient ramasser de grands bouquets de lys rouges, appelés archi-prêtres, à cause de leur couleur.

En automne, au sommet des Laiten, là où on avait réuni en un grand tas toutes les pierres que les canonnades avaient mises à nu, les garçons de la Piazza et ceux de Capovilla se faisaient la guerre. Parfois, des batailles éclataient avec des frondes lançant des billes de plomb. Heureusement que les têtes étaient protégées par des casques autrichiens, plus robustes que les italiens.

En hiver, sur cette colline où tout le monde avait

appris à skier, on construisait les tremplins. Là, en sautant, un après-midi de février, Mario se cassa un bras.

Un jour d'été ingénieurs et géomètres débarquèrent là-haut, accompagnés du podestat et du secrétaire du parti fasciste. Les techniciens avec leurs jalons-mires, leurs mètres d'arpenteur et leurs théodolites commencèrent à lorgner, mesurer, écrire. C'était précisément là, sur la colline des jeux, que les autorités de Rome, après une série de propositions, de discussions, d'examens, d'enquêtes sur place, avaient décidé de construire le grand monument qui devait accueillir les dépouilles de tous ces héros tombés sur l'Altipiano pour le salut de la patrie. Ainsi furent détruits bien des cimetières tranquilles au milieu des prés et des bois, remplacés par ce grand arc de style impérial. Une centaine d'ouvriers commencèrent à manier la pioche et la bêche pour creuser la roche en vue des fondations, et faire leur place aux niches funéraires en ciment et en marbre. Le matériel qu'on extrayait était descendu dans des wagonnets decauville vers le village et déchargé dans les prés pour construire les routes.

16.

Le samedi après-midi Giacomo revêtait son uniforme d'avant-gardiste et rejoignait ses amis sous le préau de l'école primaire où Valentino, l'instituteur, présidait à l'instruction fasciste et à la gymnastique. Ils étaient nombreux, répartis en manipules en fonction de l'âge. Il y avait aussi dans un uniforme éblouissant le chef Nini qu'un jour Son Excellence Renato Ricci avait choisi pour fréquenter une école à Rome. Giacomo s'était arrangé pour être dans l'équipe de Nino et de Mario car on leur avait aussi promis des skis et, s'ils le méritaient, une participation aux championnats nationaux de l'*Opera Nazionale Balilla*. Mario était chef d'équipe.

Le maître donnait l'ordre de se mettre en rang, le chef d'équipe en tête ; il faisait l'appel puis commandait d'exécuter le salut romain, car dans la *Méthode pour l'éducation physique* il était écrit : « ... Que la séance d'exercices commence et s'achève par le salut romain, afin de fixer, dans l'esprit des enfants, un sentiment, par le biais d'un mouvement répété de façon apparemment inutile, une leçon après l'autre. »

Ensuite Nini les faisait marcher en exécutant des mouvements pareils à ceux des soldats et, si le temps était au beau, ils sortaient dans la cour pour s'y livrer à des courses de vitesse car « ... les exercices de vitesse, à condition qu'ils ne se prolongent pas trop, ainsi que les exercices de promptitude sont les mieux adaptés aux enfants et ceux qu'ils préfèrent ». Il faisait aussi exécuter la « course cadencée » des bersagliers, car il était écrit : « ... On ne fera exécuter la course gymnique que quelques instants et de préférence aux enfants de la dernière classe, car elle exige beaucoup d'énergie et la tension de tout le corps, ainsi que le maximum d'attention. C'est pourquoi elle est fatigante... » Mais en sa qualité de chef de groupe Nini ne tenait pas compte de la recommandation des « quelques instants », d'abord ces garçons avaient déjà fait la dernière classe de l'école, ensuite les championnats nationaux de ski de l'ONB étaient en vue, et lui il avait appris à Rome que « ... dans les compétitions collectives il faut mettre en évidence la solidarité qui doit pousser chacun à donner tout ce qu'il peut en vue de la victoire commune ».

À la fin, ils étaient fatigués, non par les exercices eux-mêmes, mais à cause de tous ces ordres criés à voix haute. Ils étaient habitués à courir, à grimper aux arbres, à sauter d'une rive à l'autre du torrent, à jouer au foot avec une balle en chiffon, à débouler les Laiten avec leurs skis, à déterrer des cartouches dans les tranchées, à faire du bois et bien d'autres choses encore. Quant à Giacomo, qui suivait son père dans la récupération, il avait une résistance qui dépassait celle de tous les autres.

En décembre, un samedi après-midi, finalement, on remit aux avant-gardistes choisis, à condition qu'ils possèdent des chaussures adaptées, un uniforme de skieur et les skis. De vrais skis, en frêne, avec fixations de sécurité, et des bâtons munis de raquettes pour ne pas s'enfoncer dans la neige, avec une lanière de cuir à la poignée par où passer la main. Un chandail noir avec écrit en blanc « ONB », un pantalon gris-vert qui descendait jusqu'aux chevilles et un bonnet noir en laine. Ce soir-là, avec son uniforme sous le bras et ses skis sur l'épaule, chacun s'en retourna heureux vers sa maison. Mais le commandant avait vivement recommandé de ne mettre l'uniforme qu'à l'occasion des rassemblements et des compétitions. Avec les skis, en revanche, on pouvait s'entraîner autant qu'on voulait.

Chacun pour soi, ils espéraient que très bientôt, et pourquoi pas cette nuit, il tomberait de la neige. Et il en tomba ! C'est le Duce qui avait fait neiger ! Le dimanche, avec leur pantalon gris-vert mais avec des chandails de couleur, Nino et Mario, sans même s'être mis d'accord, se retrouvèrent avec Giacomo sur les pentes du Maddarello pour essayer leurs skis « sur les champs lumineux et purs du névé infini », comme disait la chanson des chasseurs alpins à skis, que leur avait apprise Toni, l'instituteur. Il y avait aussi les filles qui les suivaient sur la route et Irene regardait Giacomo avec admiration : c'était le plus fort de tous ! En bas de la descente, alors que les autres faisaient le chasse-neige ou un saut pour s'arrêter, lui, comme il avait vu faire aux champions du pays, faisait le télémark.

À partir du samedi suivant les skieurs avant-gardistes se retrouvèrent à l'école primaire d'où, les skis sur l'épaule, ils gagnaient le champ du Bellocchio, traversant le village en chantant : « Feu de Vesta / qui jaillit hors du temple / avec des ailes et des flammes / la jeunesse s'avance / ... / Duce ! Duce ! Qui donc ne saura mourir ? / Qui reniera jamais le serment ? / Tire l'épée quand tu le veux / Fanions au vent / nous viendrons tous à toi ! / ... » Au Bellocchio deux moniteurs, un pour le fond l'autre pour la descente, enseignaient les pas et le slalom. Les plus hardis sautaient des tremplins, atteignant jusqu'à dix-huit mètres.

En attendant l'hiver mangeait aux tas de bois leurs bûches et aux caves leurs réserves. Les journées courtes étaient longues à passer pour ceux qui n'avaient pas de travail, et, pendant les heures les plus chaudes, les hommes s'asseyaient devant les maisons au soleil. Ils parlaient de la récupération de guerre, des émigrants qui étaient loin, de la guerre et quelquefois aussi, et à voix basse, du socialisme, changeant de conversation à l'approche d'un enfant ou d'une femme. De France, particulièrement, par des chemins mystérieux, arrivaient des nouvelles et aussi quelques feuilles imprimées où on parlait des luttes du prolétariat contre le fascisme et le capitalisme. Une fois Nin Sech raconta l'histoire de Nicola Sacco et de Bartolomeo Vanzetti, deux camarades anarchistes qu'il avait connus en Amérique et qui avaient été exécutés bien qu'innocents. Angelo des Micheloni, qui était revenu de France, parlait d'un certain Lusso, ou Lussu, ancien capitaine de la brigade Sassari ici, sur le Zebio, qui s'était évadé d'une île, et d'un certain Silvio Trentin, célèbre professeur, lui aussi exilé. Mais c'était à Schio que se trouvaient les camarades les plus combatifs : un certain Blasco, Marchioro, Tresso (qui n'était autre que Blasco), Oseleto, Viribus et d'autres ouvriers des établissements Rossi et des usines, qui luttaient contre l'exploitation de l'homme par l'homme.

Un jour le père de Giacomo, après avoir regardé à droite et à gauche, tira de sa poche une feuille imprimée et lut à voix basse qu'en Russie Staline avait lancé la politique des plans quinquennaux qui conduirait à la collectivisation de tous les biens.

— Ça veut dire quoi collec-tivi-sation ? demanda Moro Soll.

— Ça veut dire, ignorant, que les biens de la terre et ce qu'on produit avec le travail sont à tout le monde et non pas aux patrons et au gouvernement, lui répondit son frère Toni. Aujourd'hui il y a ceux qui vivent des intérêts des capitaux et du travail des autres et ils mangent du pain blanc tous les jours, de la viande tous les jours, et ils ont toujours du bon vin sur leur table. Nous, si on veut aller chez les Fort boire un verre de vin, il faut qu'on y pense à deux fois. On va y arriver à sept à se payer un litre ? C'est pas croyable...

L'hiver dévorait le bois, mais si la neige dépassait

vingt centimètres les hommes des hameaux faisaient la corvée de déblaiement des routes qui menaient au village ; puis, ils s'arrêtaient devant la mairie avec leurs pelles sur l'épaule dans l'attente que le chef des gardes communaux et Silvio Landi du service technique choisissent les pelleteurs en fonction du roulement. Les uns suivaient les chasse-neige traînés par des files de chevaux couplés qui devaient ouvrir la route provinciale, d'autres le chasse-neige qui déblayait les rues du village, ou encore celui qui était destiné à ouvrir la route du hameau le plus éloigné, qui restait quelquefois isolé pendant plus d'une journée. Un groupe placé sous la surveillance du chef des gardes dégageait les places du village, le parvis de l'église, le trottoir de la mairie, les accès aux lavoirs publics, les carrefours. Pendant tout l'hiver, pour beaucoup d'hommes, ces journées de pelletage étaient les seules à être rémunérées, et sur les rentrées de ce travail occasionnel les boutiques d'alimentation et les boulangers faisaient crédit. C'est pourquoi beaucoup espéraient un hiver neigeux, et pas seulement les enfants.

En février on suspendit la classe pour une semaine et on organisa les championnats de l'Opera Nazionale Balilla. Le bâtiment scolaire devint une caserne ; il fut vidé de ses pupitres et rempli avec les lits du camp Mussolini, pour loger les avant-gardistes qui arrivaient de tous les coins d'Italie. Même de la Sicile et de la Sardaigne. Ce fut l'occasion d'autres journées de travail : un groupe d'hommes aménageait l'école, un autre préparait le long de la route principale des arcs faits de branches de sapin, des murets de neige, des monuments avec des faisceaux et des têtes du Duce, des mâts avec des drapeaux et des emblèmes ; il fallait aussi damer les champs destinés aux compétitions et écrire en grand sur la neige : W LE DUCE, DUX, W L'ONB, ALLONS-Y ! — et aussi installer les estrades pour la distribution des prix et les tribunes pour les autorités.

Pour ces compétitions nationales même les équipes de nos villages durent dormir dans les écoles, et Giacomo, Nino et Mario se retrouvèrent dans la salle où, il y a deux ans, ils étudiaient encore.

Les restaurants et les hôtels conventionnés distribuaient l'ordinaire : du café au lait avec deux michettes le matin, des pâtes à midi, une grosse soupe le soir ; à quatre heures de l'après-midi, après les épreuves ou l'entraînement, Valentino, l'instituteur, distribuait à ses équipes un sandwich à la mortadelle. Dans les épreuves de marche de régularité, avant le départ, avait lieu un examen oral qui donnait des points : Qui est le Duce ? Qu'est-ce que l'Opera Nazionale Balilla ? Qui est le roi ? Combien y a-t-il de parties dans le mousquet et quelles sont-elles ? Cherche à viser cette cible avec. Dis-moi le serment fasciste.

Après quatre kilomètres de course le maître Valentino arrêta l'équipe où se trouvaient Giacomo, Nino et Mario, avant la descente vers l'arrivée. Il avait chronométré le temps et il dit qu'ils étaient allés trop vite ; quelques minutes plus tard il les fit repartir mais l'équipe arriva quand même en avance et elle ne fit pas partie des dix premières.

— Mais qu'est-ce que c'est que ces compétitions où on doit aller lentement ? disait Giacomo.

Ensuite il y eut les épreuves de descente en slalom et de saut. Après la soupe du soir, pendant l'heure de liberté, Mario alla trouver Gino Soldà afin qu'il lui donne du fart pour aller vite. Soldà avait loué deux pièces au rez-de-chaussée dans une maison proche de celle de Mario et là il fabriquait des farts avec du goudron végétal, de la cire vierge, de la paraffine, de la colophane qu'il faisait fondre et qu'il mélangeait dans des bidons de cinq kilos posés sur un poêle à sciure. La bonne odeur du goudron végétal se répandait dans la rue.

— Monsieur Gino, dit Mario, vous me laissez nettoyer les bidons de votre fart ? Demain nous avons les épreuves de slalom et de saut.

Le bon Gino Soldà rit et dit :

— Pour demain celui-là devrait bien aller. Vous êtes combien ?

Mario appela Giacomo qui attendait dans la rue et avec une scie à métaux hors d'usage ils grattèrent le fart « Soldà » qu'ils mirent dans une boîte de cirage vide.

— Vous verrez demain comme vous irez vite, dit Gino Soldà. Étalez-le bien sous les skis mais faites attention à ne pas tomber.

Dans le slalom Mario sauta deux portes, Nino arriva troisième mais Giacomo remporta le saut de la catégorie « jeunes ». Un après-midi, avant que tous les avant-gardistes ne retournent dans leur pays, il y eut la remise des prix sur les estrades dressées sur la place au milieu des drapeaux et des monuments en neige. Le commandant Renato Ricci lui-même remit les coupes et les médailles prestigieuses. Giacomo eut aussi un très beau pull en laine et une paire de gants. Dans le public Irene l'attendait pour rentrer avec lui au hameau.

17.

Plus que jamais on attendait le dégel et le printemps ; sur les pentes ensoleillées étaient déjà arrivées les alouettes qui, disaient les vieux, s'en retournaient vers la plaine le soir, car ici, la nuit, il gelait encore. On attendait aussi la reprise des travaux et le moment d'apporter le fumier sur les champs de pommes de terre. Mais déjà les Grass le transportaient dans leurs hottes, et un pas après l'autre, de bonne heure, ils gravissaient un sentier entre la neige encore gelée et la terre nue : entre *harnust* et *happar*, disait-on dans la vieille langue. Les Grass faisaient tous les travaux des champs en avance car si on rouvrait le chantier du grand ossuaire, ou s'il y avait à remettre en état quelque route dans le secteur, ce qu'on avait à faire pour soi l'était déjà.

Giacomo et son père, quand le soleil en fin de matinée venait réchauffer les terres des indivis, allaient eux aussi avec leur pioche et leur bêche débroussailler un petit bout de terrain vers le bois. Le père tout comme la grand-mère pensaient qu'on pourrait y cultiver des lentilles ; et peut-être bien des pommes de terre l'année suivante. Arriver au mois de novembre avec vingt kilos de lentilles à la maison cela voulait dire de bonnes soupes pour tout l'hiver.

Cinq kilos de lentilles à semer, ils les avaient empruntés aux Zai qui, l'année d'avant, avaient labouré un grand champ sur le Poltrecche et fait une excellente récolte ; au cas où ils n'auraient pu les rendre, ils les payeraient avec l'argent de la récupération.

Ils n'étaient pas les seuls, vers la fin de l'hiver, qui travaillaient à l'essartage des indivis, entre les propriétés privées et le bois. Sur ces terrains, dans les lieux ensoleillés, s'élevait la fumée de l'écobuage : on brûlait les broussailles et les touffes d'herbe. Avec les cailloux de la moraine ou avec les pierres, on construisait des murettes pour épauler le terrain et réduire la pente ; en dessous, on remettait les cailloux ou le gravier et au-dessus la terre qui avait été mise en tas avec soin pendant le défonçage. S'il n'y avait pas assez de fumier, on mêlait à la terre des feuilles de hêtre ou de la ramille d'épicéa coupée menue. Au mois d'avril, avec l'arrivée du coucou, les travaux achevés apparaissaient si bien ordonnés, précis et harmonieux que le paysage s'en trouvait agrémenté et, pour ceux qui montaient vers le Petareitle, ils étaient si beaux à regarder que ce lieu était appelé les « jardins ».

Quand sonnait la cloche de midi les voisins se réunissaient pour manger et pour causer des choses de la vie et aussi fumer tranquillement une pipe. De temps en temps, le garde Gigio Rizzo passait contrôler les travaux et voir si tout se déroulait selon les règles non écrites : ne pas endommager le bois et ne pas se disputer sur les limites. Il lui revenait aussi de considérer la surface défrichée par chaque famille étant donné que, à partir de l'année suivante, il faudrait payer un droit communal sur l'emphytéose.

Gigio Rizzo était sévère mais juste, clair en son bref parler. Irréprochable dans son uniforme de garde forestier, ses brodequins bien graissés, son bâton de cornouiller à la poignée recourbée et son pas décidé, on sentait sa présence constante, même quand on ne le voyait pas. Il ne se promenait jamais armé, et s'il entendait parfois des propos subversifs ce n'est certainement pas lui qui les rapportait au podestat. Comme le jour où le père de Giacomo se laissa aller à parler de la misère et de la façon dont le Duce, en réévaluant la lire et en diminuant les payes, avait aidé les capitalistes au lieu des prolétaires.

Quand la neige commença à se retirer vers les hauteurs, les hommes reprirent le travail de récupération, laissant aux femmes la tâche de semer et de cultiver les champs défrichés.

Les travaux de construction de l'ossuaire monumental recommencèrent également. Dans les carrières dispersées sur le Plateau on extrayait les blocs de marbre blanc et l'inspecteur représentant le ministère des Travaux publics allait les contrôler, écartant inexorablement ceux qui présentaient des défauts. Parfois les carriers cherchaient à pallier une cassure ou un défaut avec de la poudre du même marbre et un mastic spécial, mais l'inspecteur avait l'œil à tout, et de sa masse il rendait le bloc inutilisable, même pour des emplois plus limités que ceux qui avaient été prévus.

À partir de carrières de marbre situées jusqu'à deux heures de chemin, les blocs étaient transportés sur la colline des Laiten au moyen de chariots que traînaient des chevaux et des mulets. C'est là que se faisait le travail de finition exécuté par les tailleurs de pierre conformément aux dessins, car chaque morceau avait été numéroté et avait une place fixée par le projet. Les manœuvres, à l'aide de leviers, de rouleaux, de vérins et de palans, se chargeaient ensuite de les soulever jusqu'à l'endroit où ils étaient posés par les maçons. Le grouillement ordonné du chantier était semblable à celui d'une fourmilière ; les chefs surveillaient avec attention la moindre chose ; les ingénieurs de l'entreprise Ferlini & Roncato redoutaient l'inspecteur qui arrivait en silence, par surprise et qui en quelques mots, d'un geste, faisait démolir les travaux qui n'avaient pas été exécutés selon les règles de l'art, ou remplacer un bloc déjà posé.

Une journée chaude et étouffante de juin un chef vit un manœuvre dont la chemise n'était pas trempée de sueur.

— Toi ! Oui, toi. Viens ici. Pourquoi n'es-tu pas trempé de sueur ? Tu t'es reposé à l'ombre jusqu'à maintenant ?

— Moi, chef, je ne transpire jamais. C'est dans ma nature de ne pas transpirer.

— Impossible. Ne me raconte pas d'histoires, ici

on transpire tous. Dans la construction du monument aux héros il n'y a pas de place pour les malins.

— Ce n'est pas de ma faute si je ne transpire pas. Vous n'avez qu'à le demander à mes camarades.

— Je ne veux pas le savoir. T'es renvoyé. Et rappelle-toi : compagnons et non pas camarades. Reviens samedi toucher ta paye.

Il était peut-être mal luné parce que, ce matin-là, en rentrant dans un WC du chantier il avait lu sur les planches, écrit au charbon : LE DUCE AU POTEAU. Ce même chef montrait en exemple aux manœuvres un géant naïf de l'infanterie de montagne, libéré récemment ; un type dont on racontait qu'il présentait les armes avec le canon d'un obusier de 75/13. Il avait la force d'un cheval et l'esprit d'un enfant ; il manœuvrait les blocs avec leviers et rouleaux comme s'il s'était agi de pierre ponce au lieu de marbre compact et lourd.

À midi, les ouvriers cherchaient une place à l'ombre des excavations ou des murs en construction, ils allumaient un feu avec les chutes de bois laissées par les charpentiers, et ils réchauffaient sur les braises leur gamelle de soupe et de polenta apportée de chez eux. Pendant cette heure de repos des enfants montaient du village aux Laiten, attirés peut-être par les changements que la colline de leurs jeux était en train de subir, et aussi par la curiosité pour tous ces travaux. Ils finissaient par connaître par leur prénom les ouvriers qui venaient même des villages voisins ; parmi eux, se trouvaient des jeunes, presque des enfants, et des vieux aux cheveux gris. Beaucoup avaient participé à la Grande Guerre mais le fait de construire le grand monument qui devait accueillir les ossements de leurs camarades ne semblait pas les émouvoir.

Mario montait lui aussi presque tous les jours ; beaucoup d'ouvriers connaissaient sa famille et une fois ils lui demandèrent d'aller acheter une fiasque de vin. Ils étaient huit autour de cette polenta en train de dorer sur la braise, et avec trente centimes par tête ils réunirent deux lires quarante : le prix d'une fiasque de vin du pays. Mario courut à la boutique de sa famille y acheter le vin et, toujours en courant, il revint sur la colline, car les ouvriers devaient reprendre leur travail. Qu'au moins ils aient le temps de boire leurs deux verres en paix. Ce jour-là, à table, le grand-père lui dit :

— À midi moins dix tu devrais monter chez les ouvriers avec deux cabas et six fiasques de vin. Peut-être que tu pourrais tous les vendre.

C'est ainsi que, quand les chefs sifflaient la fin du travail, Mario s'arrangeait pour se trouver sur les Laiten avec les cabas et six fiasques. Il passait parmi les ouvriers qui se mettaient d'accord entre eux pour réunir les deux lires et quarante centimes. Parfois, quand le jour de la paye était loin derrière, ils demandaient une fiasque de vin à crédit et Mario, comme le lui avait appris son grand-père, le leur accordait sans rien noter, car les pauvres ne trichent pas. Une fois vendu le vin il restait là à écouter leurs discours.

Un jour il entendit un récit qui l'impressionna. Nando de l'Ecchele raconta qu'un soir, comme il rentrait à la maison après avoir vendu son matériel de récupération et s'être arrêté avec Vu boire un verre à la Margherita, une fois arrivé aux Confini, juste là où il y a la croix, il se retrouva nez à nez avec une file silencieuse de soldats qui traversaient la route. C'était la pleine lune, de temps en temps celle-ci sortait des nuages, à ce moment-là il faisait clair et il les voyait bien. Ils étaient pâles, silencieux, ne faisaient pas de bruit en marchant, mais on entendait leurs soupirs. La longue file venait des montagnes, au sud, traversait la conque parmi les collines pour remonter ensuite par le Val de Nos, vers les sommets.

D'autres files, morcelées, rejoignaient celle-là, descendant des montagnes comme des ruisseaux. On ne voyait pas d'où elles partaient ni d'où elles arrivaient. Il était resté là, pétrifié, jusqu'à l'aube et quand revint la lumière du soleil, après que la lune eut disparu, tout s'évanouit.

— C'est les âmes des soldats morts, dit un vieux manœuvre qui, pendant la guerre, avait été conducteur de mulets.

— Mais c'étaient des Italiens ou des Autrichiens ? demanda un autre.

— Je ne me rappelle pas, répondit Nando. Peut-être qu'ils étaient ensemble.

— À mon avis, dit l'un d'eux, tu avais bu un verre de trop avec Vu. Va savoir ce qu'il t'aura raconté.

— Je n'avais pas bu. Un demi-litre à deux, ce n'est rien.

— Ici on travaille à construire un monument pour les ossements des soldats mais leurs âmes continuent à errer au milieu de ces montagnes, dit le premier qui avait parlé.

Ils gardèrent le silence jusqu'à ce qu'ils entendent le coup de sifflet du chef qui les rappelait au travail. Mario aussi, troublé, rentra à la maison sans s'arrêter dans les prés et, étant monté dans sa chambre, il se mit à sa table pour écrire un poème qui a disparu. Il n'en est resté que trois vers :

« Sous la froide lumière de la lune vont / les vivants et les morts / ensemble sur les monts. »

18.

Le jour de la manifestation pour les taureaux, un samedi après-midi, alors que les étals avaient déjà été rechargés sur les charrettes, Giacomo, Nino et Mario se trouvaient sur la place au milieu des manifestants. Giacomo était descendu de son hameau à la suite des paysans qui s'étaient donné le mot en vue de la protestation. Il les avait vus passer en habit du dimanche, l'allure décidée. À voix haute ils battaient le rappel de quiconque voulait les suivre. Ils en avaient vraiment assez du Syndicat fasciste des éleveurs de la province qui voulait coûte que coûte imposer la race svitt, ou suisse, à la place de la tarine séculaire que, depuis toujours, ils tenaient dans leurs étables et dans les pâturages et qui, selon la tradition, avait été amenée à la suite des ancêtres, quand ils étaient venus du Nord habiter dans nos montagnes. La tarine, disaient les paysans et les alpagistes, est une vache au pâturage qui ne maltraite pas l'herbe, qui mange de façon régulière sans sauter à droite et à gauche comme la svitt. Et puis, n'étant pas lourde, elle ne brise pas la couverture herbeuse avec ses sabots, et l'herbe, elle va même la chercher dans des endroits où ne vont pas les autres vaches. Et puis elle est sûre aussi pour la fécondation et la mise bas, et elle vit longtemps.

C'est pour ces qualités, que le Syndicat ne voulait pas reconnaître, que les manifestants n'entendaient pas accepter l'obligation d'abattre les taureaux de race tarine et de châtrer les taurillons. Derrière tout ça, disaient-ils, il devait y avoir les intérêts du président du Syndicat ainsi que de quelques importateurs.

Pour surveiller que les vaches n'étaient pas fécondées par des taureaux de race tarine, on fit appel aux gardes forestiers de la commune, mais aussi aux carabiniers royaux, aux douaniers, à la milice des forêts ; à la vérité tous ces gens ne montrèrent guère de zèle. En revanche Nane Runz se révéla d'une intolérance qui finissait par irriter : il avait été embauché comme garde-chasse par le président des éleveurs, le commandeur Colpi, qui était également président du Groupement des réserves de chasse.

Nane Runz, qui avait été un valeureux tireur d'élite dans les troupes de choc alpines, avait eu une main broyée par un détonateur en récupérant du matériel de guerre. Notre médecin communal, qui avait fait la guerre avec lui du Monte Rombon à l'Ortigara et au Piave, avait dû, tant bien que mal, l'amputer. Après cet accident, Nane s'était inscrit au parti fasciste, premier pas vers un emploi tranquille. À l'époque de la contestation sur les taureaux il allait se percher au-dessus des hameaux comme un fauconnet sur un mélèze et, quand il voyait les vaches conduites vers les stations de monte clandestines, il fondait dessus au bon moment pour prendre sur le fait animaux et propriétaires. Ses actes d'accusation, ses procès-verbaux étaient inexorables. Les paysans en avaient assez de tout cela et ils estimaient avoir le droit de choisir les taureaux et les vaches qui répondaient le mieux à leurs intérêts. C'est ainsi qu'ils se donnèrent le mot pour manifester cet après-midi-là devant la mairie.

Nino, Mario, et les autres gamins qui jouaient au ballon sur la petite place, quand ils virent tous ces gens qui criaient dans les rues, s'unirent aux manifestants par curiosité. C'est là qu'ils rencontrèrent Giacomo.

Les hommes s'étaient arrêtés devant la mairie et ils criaient :

« Vive Mussolini et les taureaux de race tarine / à mort Colpi et les taureaux svitt ! / Nous les éleveurs / on veut rien que nos taureaux ! »

Les enfants aussi criaient pour s'amuser : « Vive Mussolini et les taureaux de race tarine ! » Ça continua ainsi un bon moment, jusqu'à ce que le représentant du préfet, lassé de ce charivari, téléphone aux carabiniers royaux, aux douaniers et à la milice des forêts qui arrivèrent aussitôt avec leurs armes et leurs munitions. Le capitaine des gardes forestiers, en tant qu'officier du grade le plus élevé, prit le commandement et ordonna la dissolution de la manifestation. Il eut beau crier, cela ne servit à rien, car les autres criaient plus fort. Alors le représentant du préfet, qui observait la place depuis la fenêtre de son bureau, envoya un mot, par l'intermédiaire du messager communal, au maréchal des carabiniers avec l'ordre de se saisir des hommes les plus excités. Ceux-ci se laissèrent arrêter docilement, n'attendant peut-être pas autre chose que d'être conduits menottes aux poignets à travers le village, jusqu'à la prison du canton, sans broncher. Comme il était écrit des héros du Risorgimento dans les livres d'école. Les femmes et les enfants les suivaient en criant : « Vive Mussolini et les taureaux de race tarine. » On aurait dit une belle pièce de théâtre en plein air.

Avant le soir l'arrestation des paysans avait fait le tour de tous les hameaux, même les plus éloignés. Plus tard les femmes de la campagne se donnèrent le mot pour manifester le jour suivant ; beaucoup d'entre elles, cette nuit-là, restèrent éveillées en proie à l'indignation et à la colère qu'avaient suscitées en elles l'arrestation de leurs hommes.

Le matin elles arrivèrent sur la place, par petits groupes, des quatre points cardinaux, comme le jour de la foire de la Saint-Matthieu. Lorsqu'elles eurent formé un groupe compact, elles se rangèrent devant la mairie et commencèrent à crier, demandant la liberté pour leurs hommes emprisonnés ; et aussi la liberté de choisir leurs taureaux. Le représentant du préfet et le secrétaire de mairie, devant les vociférations et la vision de toutes ces femmes en colère, téléphonèrent tout de suite aux carabiniers, aux gardes forestiers, aux douaniers et au juge de paix. Ce dernier leur conseilla de téléphoner aussi à Son Excellence le préfet, ainsi qu'au préfet de police.

La force publique encercla les femmes qui ne cessaient de crier : « La liberté pour nos hommes / qui sont des honnêtes hommes ! », ou bien : « Vive Garibaldi / on veut les vaches d'ici ! » Face à l'action des carabiniers et de la milice des forêts qui voulaient les brutaliser pour les faire partir, elles devinrent de vraies furies : « Bande de lâches ! Vous ne pouvez pas nous toucher, nous sommes des femmes ! »

La force publique se regroupa devant la porte de la mairie, car elles menaçaient de jeter par la fenêtre le représentant du préfet et le secrétaire, et de détruire le bureau de la Chaire itinérante de l'agriculture.

C'est alors que le maréchal des carabiniers royaux tira son épée du fourreau pour donner l'ordre de charger, mais les femmes ne se laissèrent pas impressionner et hurlèrent encore plus fort :

« Vive Mussolini et les taureaux des tarines ! »

Et comment pouvaient-ils, le maréchal des carabiniers et le commandant de la milice des forêts, donner l'ordre de charger contre des gens qui exaltaient le chef du gouvernement ?

Les femmes des paysans, ce matin-là, ne voulaient pas s'en aller, et elles avaient bloqué la mairie. Giacomo, Nino, Mario et bien d'autres enfants qui étaient sortis de la messe criaient avec elles. Bref, après consultations, coups de téléphone, réunions au sommet arriva, de Rome peut-être, l'ordre de relâcher les paysans qui, au milieu des femmes en liesse, s'en retournèrent à leurs maisons.

Giacomo lui aussi suivit le groupe vers les hameaux. Après un quart d'heure de route l'excitation, les vociférations commencèrent à se calmer.

Seulement quelques plaisanteries accompagnaient ce retour victorieux à la maison :

— Comment c'était en prison ? demandait une épouse.

— Le dîner, ils nous l'ont fait arriver de la Croce Bianca, le petit déjeuner de l'Excelsior, répondait le mari.

— Pas vrai, Bepi ? On dormait plus tranquille sur les planches de la prison qu'au lit avec sa femme.

— Ah ! C'est ça ! disait l'épouse, vexée. Alors cette nuit tu iras dormir dans le foin. Ou bien retourne en prison.

Quand Giacomo rentra à la maison sa famille avait déjà fini de manger. L'ayant entendu raconter où il avait passé la matinée, la grand-mère le réprimanda :

— Tu n'aurais pas dû participer à tout ce tapage. Ce n'est pas fait pour les enfants. Tu aurais même pu écoper de quelques coups de bâton.

— Moi, je n'écope de rien du tout. J'ai plus vite fait que les carabiniers et aussi que les gardes forestiers. Grand-mère si tu avais vu ! Les femmes étaient vraiment en colère, on se serait cru au cinéma.

— Ça ne devait pas être très joli à voir ; mais ceux de la Fédération ne peuvent pas imposer leurs taureaux, et nos paysans ont raison. Je suis curieux de voir comment ça finira, les sous et le copinage rendent la justice aveugle. Cette année notre vache a été montée par le taureau des Zanga, l'année prochaine on ne sait pas, dit le père de Giacomo qui, ce matin-là, étant donné le beau temps, avait fait descendre un traîneau de bois depuis la Gluppa.

Sur la table c'était dimanche : la polenta sur le tailloir, du saucisson de couenne, de la choucroute et du petit salé attendaient Giacomo.

Quant à l'histoire des taureaux, elle finit comme le père de Giacomo l'avait prévu. De gré ou de force les taureaux de race tarine furent remplacés par les svitt et les taurillons à l'élevage furent châtrés. Un paysan obstiné et convaincu d'avoir raison ne se résigna pas et, ayant su que dans un village de la plaine juste en dessous, les taureaux de race tarine continuaient à exercer régulièrement leur fonction, il décida un jour d'y acheter le taureau Novegno que les vétérinaires et le Conseil provincial de l'économie (Service des stations de monte bovine) avaient déclaré apte. Bref il n'acceptait pas que dans son étable prospère puisse entrer un taureau svitt et il tenait le raisonnement suivant :

— Si ce taureau est bon dans un village situé à trente kilomètres, pourquoi est-ce qu'il ne devrait pas l'être ici, dans mon étable ?

Ce paysan, qui était aussi alpagiste, c'est-à-dire qu'il louait un alpage communal, descendit dans la plaine avec le petit train et remonta à pied, la nuit, en conduisant par les naseaux le taureau Novegno. Un matin le garde Runz, toujours soupçonneux et vigilant, surprit Novegno alors qu'il fécondait une vache tarine et rédigea un procès-verbal de contravention. Le taureau fut saisi et sur ordre du juge de paix fut mené au marché au bétail de la province. Notre paysan ne s'estima pas battu et, de procès en procès, il arriva jusqu'en cassation où on lui donna raison, ordonnant la restitution du taureau, après payement d'une amende de trois cents lires pour avoir omis de payer le droit de monte. Ce qui advint cette même année 1933, par ordonnance du 23 novembre, an XII de l'ère fasciste.

19.

Cet automne-là Giovanni, le père de Giacomo, refit sa petite malle d'émigrant. La neige qui était tombée en avance avait interrompu le travail de la récupération. On était aux portes de l'hiver et il n'y avait rien à l'horizon, sauf quelques journées à pelleter la neige pour la mairie, ou à faire des monuments et des arcs de triomphe pour les championnats nationaux de ski de l'*Opera Nazionale Dopolavoro*. Mais ce n'était pas assez sur six mois. Et ils étaient nombreux à attendre ces journées qui revenaient, justement, par roulement, à ceux qui avaient le plus d'enfants, la préférence allant, injustement, à ceux qui étaient inscrits au parti fasciste. Mais s'inscrire était une chose qu'il n'avait pas le cœur de faire. On en parla un soir à la maison, autour du feu, après que les hommes du hameau en avaient discuté entre eux un après-midi.

Cependant ils étaient trois à s'être décidés : lui, Moro Soll et Angelo Càstelar. Leur projet était d'aller en Suisse, clandestinement, à travers la Valteline. Ils savaient qu'à Zurich résidait un descendant des Calzin del Bald qui possédait une grande entreprise de construction : il ne refuserait jamais un travail à des *pays*. Une fois arrivés à Zurich, il ne serait pas difficile de le retrouver. Dans la caissette à munitions avec ses inscriptions en allemand, les femmes préparèrent leurs affaires comme d'habitude : chaussettes, tricots, caleçons, chemises, pantalons ; un morceau de fromage et deux kilos de pain. Cette fois-ci, ils avaient décidé d'emporter marteau de maçon, truelles, fil à plomb et niveau d'eau. Pour tout papier ils avaient dans leur poche une carte d'identité avec la mention : *manœuvre* ; Giovanni avait aussi un passeport, périmé, pour la France, Angelo un passeport, toujours pour la France, valide. Pour acheter le billet jusqu'à Tirano et pour avoir quelques lires de réserve en poche, ils vendirent à Seber tout le matériel de récupération qu'ils avaient mis de côté au cas où.

Ils partirent par le premier train, il faisait encore nuit. Giacomo, sa mère, la jeune femme d'Angelo et la fiancée de Moro se retrouvèrent sur le quai de la gare pour leur dire au revoir. Cecilia, la femme du Moretto, qui était employée à la poste, se trouvait là pour remettre au chef de train les trois sacs : lettres ordinaires, recommandés, colis. Le Biondo, balayeur lui aussi comme toujours, était là dans l'attente que le train et ses passagers partent pour nettoyer avec son balai de bruyère le rien qui restait sur le pavé.

Une fois arrivés à Tirano les trois hommes prirent contact avec les contrebandiers pour passer la frontière ; à Madonna le père de Giacomo connaissait quelqu'un avec qui il était allé à la guerre, qui leur fit fête et qui les envoya dormir dans la grange après leur avoir offert une riche polenta.

Avant l'aube ils passèrent la frontière ; à Poschiavo ils montèrent dans le train mais à la gare de Chur ils furent arrêtés par la police cantonale qui leur demanda leurs papiers. On les conduisit au poste et on leur fit ouvrir leurs petites caisses avec ces inscriptions étranges ; non, elles ne contenaient rien d'interdit ; non, il n'y avait rien de contraire à la loi mais :

— Vous n'avez pas de papiers en règle, dirent les policiers, vous n'avez pas de contrat de travail, vous n'êtes pas des ouvriers qualifiés et vous êtes entrés clandestinement. En Suisse on n'entre qu'avec un contrat de travail et une qualification.

— Nous, osa dire Angelo, on veut seulement travailler. Travailler et c'est tout. Même comme manœuvres.

— Il nous est impossible de vous garder ; nous sommes désolés. Nous devons vous raccompagner à la frontière.

Ils les firent remonter dans un train et un policier les accompagna jusqu'à Chiasso où il les remit à la milice des frontières. Un gradé leur fit un sermon : il n'allait pas les dénoncer pour émigration clandestine parce qu'il pensait à leurs familles, il ne voulait pas qu'ils finissent en prison, mais ils étaient le déshonneur de l'Italie fasciste. Une honte pour l'Italie, que de se présenter ainsi à l'étranger, comme des misérables, pour un bout de pain ! Pourquoi n'allaient-ils pas travailler à la bonification des marais Pontins ou en Cyrénaïque où le Duce réalisait de grands travaux ?

Après avoir recommandé à la milice ferroviaire de les avoir à l'œil, il les fit monter dans un train pour Milan. Une fois arrivés dans la grande gare centrale que le roi avait inaugurée le 1er juillet 1931, ils se sentirent perdus et misérables sous les grandes voûtes avec leurs verrières et les vastes halls de marbre poli, au milieu de tous ces gens affairés et indifférents. Ils trouvèrent la salle d'attente de troisième classe et ils s'assirent sur les bancs de bois pour manger du pain et du fromage.

— Moi, je n'ai pas envie de rentrer à la maison et de passer l'hiver à ne rien faire, dit le père de Giacomo. J'ai encore mon passeport pour la France, le français je le parle un peu, ils me laisseront passer même s'il est périmé. En France on gagne moins qu'en Suisse, mais c'est toujours mieux qu'en Italie.

— Si vous voulez tenter d'aller en France, allez-y, dit Moro Soll, moi, je rentre à la maison.

Ainsi firent-ils. Giovanni et Angelo attendirent un train pour Modane, Moro Soll partit avec un autre qui allait jusqu'à Trieste.

Au hameau ils furent étonnés de voir revenir Moro. « Les deux autres aussi auraient dû revenir, dirent les familles, plutôt que de partir comme ça à l'aventure. »

Eux, les deux qui étaient allés en France, une quinzaine de jours plus tard envoyèrent une lettre à leurs familles, faisant savoir qu'ils se trouvaient à Chambéry, en Savoie, qu'ils travaillaient dans un chantier à la construction d'un barrage et que pour Noël ils enverraient un premier mandat. Moro Soll, en revanche, et parce qu'il était inscrit au parti fasciste, obtint en gérance la buvette du Valmadarello, là où se trouvait le tremplin pour les épreuves de saut ainsi qu'une piste pour la vitesse : Leo Gasperl y avait dépassé les cent kilomètres à l'heure avec ses skis lestés de plaques de plomb et une cape pourvue d'ailes à la chauve-souris qu'il déployait pour freiner quand il arrivait en bas. Moro pouvait y vendre sandwichs, bananes, mandarines, limonade, vin et, en accord avec un magasin du centre, louer des skis et des luges aux excursionnistes du dimanche qui montaient avec les cars ou le petit train.

Giacomo, lui aussi, le dimanche matin était là pour gagner des pourboires en aidant les débutants à attacher leurs skis ou à appliquer la paraffine avec un vieux fer à repasser. Des bourgeois, parfois, faisaient appel à lui pour donner des leçons de ski à leurs enfants, et l'après-midi il pouvait s'offrir le cinéma avec Irene.

Mais l'hiver était long et triste maintenant que son père n'était plus là. De derrière le Sisemol le soleil arrivait toujours tard et il se couchait derrière le Pasubio toujours trop tôt.

Olga avait écrit d'Australie qu'elle allait bientôt avoir un enfant. Peut-être qu'elle était devenue mère de famille durant le temps que la lettre avait pris pour arriver d'aussi loin. Elle disait que Matteo faisait bien son travail, qu'ils étaient contents et qu'ils avaient déjà remboursé à l'oncle Nicolas tout ce qu'il avait dépensé pour leur payer le voyage. Elle mangeait tous les jours du pain blanc et de la viande, qui là-bas ne coûtaient vraiment pas grand-chose ; à Noël il avait fait très chaud, plus que chez nous à l'époque des foins. Giacomo savait que de l'autre côté de la terre les saisons étaient à l'envers, ce qui ne l'empêcha pas, pendant que la mère lisait la lettre à voix haute, de commenter :

— Mais quel Noël ça peut bien être s'il fait si chaud ? Jésus est né quand il faisait froid. Et qu'est-ce que Noël sans la neige ?

— Explique-moi, lui demanda la grand-mère, explique-moi, toi qui as étudié. Comment se fait-il qu'en Australie c'est l'été quand chez nous c'est l'hiver ?

Giacomo prit deux pommes de terre dans le panier et expliqua :

— Celle-là, grand-mère, imagine que c'est la terre et l'autre que c'est le soleil. Voilà comment tourne la terre et comment tourne le soleil. Ce n'est pas la distance du soleil qui fait les saisons mais l'inclinaison de l'axe terrestre qui est comme le pivot de la toupie. Quand chez nous c'est l'hiver de l'autre côté c'est l'été parce que l'inclinaison des rayons solaires change. C'est ce qu'on m'a expliqué à l'école.

— Je n'y comprends rien, dit la grand-mère. Pour moi c'est des mystères comme la sainte Trinité. Je n'ai été que jusqu'au cours élémentaire avec le maître Piccolo, toi tu as étudié davantage. Je n'ai bougé d'ici qu'une seule fois, en 16, quand on était réfugiés. Ça m'a semblé un grand voyage, et à Vicence il y avait beaucoup de bruit et de confusion : des trams, des voitures à chevaux, des automobiles qui puaient. Trop de confusion.

Maintenant qu'il n'y avait pas beaucoup de travail Giacomo ne savait que faire de ses journées. Certains après-midi il allait skier, mais sans ses amis ça ne lui disait rien ; il s'arrêtait aussi à regarder les sauts au tremplin quand les champions montaient du village avec les traîneaux pour l'entraînement. À la maison il cassait plus de bois qu'il n'en fallait pour allumer le feu, il nettoyait l'étable, il s'occupait de la vache et il avait même appris à la traire. Quand la lumière était favorable il amenait sa chaise à côté de la fenêtre où la grand-mère tricotait, et il lisait à voix haute *Les Enfants du capitaine Grant*, un livre que Mario lui avait prêté. Deux heures par jour il participait à leurs aventures le long du 37ᵉ parallèle de l'hémisphère austral. Le soir après dîner il avait pris l'habitude d'aller à la veillée dans l'étable des Nappa où il retrouvait Irene qui, maintenant, était une jeune fille et non plus une gamine. C'était beau quand ils sortaient de l'étable et qu'il neigeait. C'était vraiment beau de la sentir à côté de lui parmi les flocons de neige. Mais c'était beau aussi quand il ne neigeait pas et que le ciel de février était peuplé d'un nombre infini d'étoiles jusqu'au plus profond.

À la maison, dans son lit, par-delà la petite fenêtre qui donnait à l'est, il continuait à imaginer ce ciel que le givre sur les carreaux ne permettait pas de voir, et il lui semblait qu'il naviguait dedans comme en lisant le livre *De la Terre à la Lune*, avec Barbicane, Nicholl et Ardan dans la fusée en aluminium lancée par le canon Columbiad.

20.

Après le dégel les travaux reprirent à l'ossuaire monumental ; Giovanni, qui était revenu de France avec mille lires d'économies, demanda à être embauché comme manœuvre. On ne lui dit ni oui ni non, puis ce fut non. Peut-être que sa tentative d'émigration clandestine en Suisse, réussie ensuite en France, sa non-inscription au parti fasciste, ou quelque autre raison, avaient rendu les autorités soupçonneuses. Peut-être avaient-elles eu vent d'un fil invisible reliant la zone des subversifs de Schio aux hameaux du Plateau ? Hameaux où le flux migratoire était plus fort qu'ailleurs et où, quand il y avait eu de libres élections, on avait aussi voté socialiste. À cause de ce refus, avec colère également, le père de Giacomo se remit à la récupération du matériel de guerre, courant de plus grands risques que d'habitude à désamorcer des obus non explosés.

Un jour de mai Mario, qui faisait sa tournée parmi les ouvriers avec ses fiasques de vin, fut arrêté par un chef qui lui demanda son âge et s'il était disposé à faire le porteur d'eau, c'est-à-dire à parcourir le chantier avec une louche et un seau d'eau pour tous ceux qui voudraient boire. Trois heures le matin et trois heures l'après-midi, de neuf heures à midi et de deux à cinq : six heures à soixante centimes de l'heure. Mais après coup le chef nota que Mario n'avait pas encore quinze ans et donc qu'il ne pouvait pas travailler.

— Mais moi, dit Mario, j'ai un copain qui les a et c'est un type sérieux.

— Est-ce qu'il est inscrit à l'Opera Balilla ?

— Oui, il est même champion national de ski.

— Alors viens ici avec lui demain à midi. On verra.

C'est ainsi que Giacomo fut embauché. L'horaire était pratique car il lui permettait de faire les travaux habituels à la maison aussi bien le matin que l'après-midi. Être porteur d'eau n'était ni pénible ni difficile. Il changeait souvent l'eau pour qu'elle soit toujours fraîche et que les ouvriers soient contents. Et trois lires soixante centimes par jour, ce n'était pas à négliger.

Giacomo ne pouvait pas le savoir, mais les chefs avaient décidé d'embaucher un jeune porteur d'eau parce qu'ils s'étaient aperçus que les manœuvres, les tailleurs de pierre, les maçons et les charretiers perdaient trop de temps à aller boire au tuyau d'eau qui servait à faire le mortier et que parfois, en attendant que ce soit leur tour de tendre un récipient, ils s'arrêtaient pour causer.

Cette année-là les grands murs du quadrilatère de base, tous en marbre blanc bouchardé, avaient comme esquissé le monument. Au-dessus des portails des quatre points cardinaux avaient déjà été placées les « têtes de fantassin avec casque », sculpture d'imitation classique.

Des cimetières italiens dispersés dans les villages et dans la montagne, on commença à exhumer les restes des soldats sous la surveillance d'un aumônier militaire. Les ossements étaient disposés dans une petite caissette et sur chacune d'entre elles on inscrivait le grade, le nom et le prénom et, si c'était le cas, les décorations. Dans quelque lointain atelier on gravait la même inscription sur une plaque carrée en marbre. Les caissettes étaient portées dans l'église de Saint-Roch et entassées par ordre alphabétique. Les femmes du Comité chargé d'honorer les morts de la guerre veillaient à ce que tout fût fait avec ordre, afin d'éviter des erreurs éventuelles et des confusions de noms. Parfois des parents des morts, qui étaient restés en contact avec les femmes du Comité, arrivaient de villes lointaines, de la Sicile et de la Sardaigne, de la Calabre et du Piémont, pour assister à l'exhumation de leurs proches et pour déposer une fleur sur la caissette contenant les ossements.

Souvent les équipes chargées de ce travail, en ouvrant les sépultures, en particulier celles des cimetières qui se trouvaient sur les champs de bataille, récoltaient les objets enterrés avec les morts : les cartouches à l'intérieur des gibernes devenaient du matériel de récupération à vendre, tandis que les médailles, les portefeuilles, les pipes ou autre chose encore étaient remis à l'aumônier. Dans les fosses communes, où étaient au contraire enterrés les inconnus, les crânes étaient séparés du reste des ossements et c'est eux qui faisaient foi quant au nombre de corps exhumés. Les pauvres restes étaient directement emmenés à l'ossuaire où des caveaux, creusés à cet effet dans la colline des jeux, les accueillaient.

Cet été-là se produisit un fait que les journaux n'enregistrèrent pas ; peu de personnes furent au courant. Depuis plus d'un mois les ouvriers qui travaillaient à l'ossuaire monumental ne touchaient pas leur paye ; à ceux qui en faisaient la demande on distribuait des tickets ou des jetons, à dépenser exclusivement dans une baraque du chantier où on pouvait acheter du vin, du pain, du sucre, de la farine et pas grand-chose d'autre. Ce retard dans les payes engendra une mauvaise humeur croissante, et dans les WC du chantier apparurent des graffitis de protestation : « On veut notre paye, à bas... » suivis des noms des chefs les plus exigeants et impitoyables. La troisième quinzaine se passa aussi sans recevoir de paye. Tout bas et avec grande discrétion, les ouvriers se mirent d'accord pour faire une grève de protestation.

Le soir avant le jour choisi, Giacomo en parla avec son père. Il dit que les ouvriers avaient décidé de faire la grève parce que depuis plus d'un mois l'entreprise n'avait pas versé une lire de paye, que certains chefs étaient méchants et qu'ils exigeaient des ouvriers qu'ils suent et qu'ils travaillent comme des esclaves. Quelques fois ils les avaient même insultés.

— Toi, qu'est-ce que tu fais ? lui demanda son père.

— Je reste à la maison, répondit-il.

— Tu as raison.

Et il ne dit rien d'autre car, ce soir-là, il était de mauvaise humeur. Le travail de récupération n'avait pas bien rendu. Avoir tant creusé pour pas grand-chose... et puis il y avait eu l'orage qui l'avait obligé à rester presque deux heures à l'intérieur d'une galerie sur le Moschiagh.

Le matin la surprise fut énorme : le chantier apparut comme désert aux ingénieurs, aux chefs des ouvriers, à l'inspecteur. Les autorités furent tout de suite informées. Des inspecteurs de police, peut-être ceux de l'OVRA, des officiers des carabiniers arrivèrent et tout le monde put lire les inscriptions scandaleuses sur les planches des WC : « À bas le fascisme ! », « Mussolini salaud », « Vive l'Internationale ! Vive Lénine ! »

Les représentants de l'entreprise dirent aux enquêteurs qu'ils ne pouvaient pas faire les payes si, avant, de Rome n'arrivaient pas les acomptes sur les travaux déjà réalisés, comme prévu par le contrat. De Rome on répondit aussitôt que d'ici quelques jours les acomptes seraient versés auprès de la Banque d'Italie. Des policiers déclarèrent qu'il était nécessaire d'enquêter parmi les ouvriers, pour découvrir les meneurs et les éléments subversifs. Dans les hautes sphères il fut décidé de faire inscrire sur le casier judiciaire « A participé à la grève pendant la construction de l'ossuaire monumental ».

Après quelques jours on vit sur le chantier de nouveaux embauchés qui, on le comprit tout de suite, n'étaient certainement pas des ouvriers, même s'ils s'ingéniaient à le paraître. On comprit que le moment était venu d'être prudent dans ses propos. Et d'abord parce que au plébiscite du 25 mars la grande majorité des Italiens avait dit oui au fascisme et que cela avait ragaillardi les autorités, grandes et petites.

Quelques jours après la grève, Giacomo fut appelé dans la baraque du bureau. Dedans il n'y avait qu'un monsieur à l'air bonasse assis derrière la table, qu'il salua à la romaine.

— Écoute, lui dit ce monsieur, je sais que tu es un bon balilla et que tu es aussi champion de ski et donc que tu aimes ta patrie. Comme tu sais, ici il s'est passé quelque chose de grave qui a fait de la peine au Duce lui-même : une grève, et précisément dans ce chantier où l'on travaille à la construction du monument qui accueillera les dépouilles de tant de héros tombés pour notre chère Italie. Toi, en allant porter de l'eau, tu n'as jamais entendu dire du mal du fascisme et de notre Duce ?

— Non ! absolument pas, répondit Giacomo en faisant signe que non de la tête. Je ne fais pas attention à ce que disent les hommes.

— Mais alors, pourquoi es-tu resté à la maison ce jour-là ?

— Le jour d'avant j'avais bu trop d'eau froide et j'ai attrapé la diarrhée.

— Je te crois. Il ne faut pas boire trop d'eau froide, ça fait du mal. Mais il faut faire attention à ce que disent les ouvriers, et si tu entends dire quelque chose qui te semble suspect, tu dois tout de suite le rapporter aux chefs, mais sans te faire remarquer. D'accord ?

— À vos ordres ! répondit Giacomo en croisant le pouce et l'index derrière son dos.

Avant de sortir, comme le lui avait expliqué le chef de peloton Nini Duncali, il fit un pas en arrière et un salut à la romaine impeccable.

De cette rencontre Giacomo ne souffla mot ni à son père ni à Irene.

21.

Un soir de la fin mai Irene dit à Giacomo qu'elle désirait aller au pied des montagnes, là où sa famille avait été réfugiée en 16. Ils habitaient dans une petite maison au milieu d'un pré entouré de toute part de merisiers, d'aulnes et de bouleaux : on l'appelait le Prà del Giglio. Dans cette petite maison, presque une étable, ils avaient vécu trois ans très pauvrement, et sa sœur Orsola était morte là, une petite fille qu'elle n'avait jamais connue. Son frère avait parlé de cet endroit, et aussi le grand-père avant de mourir :

— Je voudrais vraiment le voir. Qu'est-ce que tu en dirais si on y allait tous les deux ? Un dimanche à bicyclette ?

— Il faudrait connaître le chemin ; et puis on n'a pas de bicyclette, répondit Giacomo.

— On pourrait les louer à Toni Folo. Ça ne coûte pas cher.

— Je me renseignerai. On demandera à ton père quelle est la meilleure route pour y arriver.

Giacomo se renseigna. La meilleure route était celle du Costo jusqu'à Caltrano ; de Caltrano il fallait rejoindre Calvene et là s'enquérir du Prà del Giglio. La route la plus courte passait au contraire par la Barental, Granezza, Malga Mazze et Monte di Calvene. Aller et retour ça faisait une quarantaine de kilomètres. La location des deux bicyclettes coûtait quatre lires. Ils décidèrent qu'ils iraient un dimanche de juin, en descendant par la Barental et en remontant par le Costo.

Le samedi soir ils allèrent chercher les bicyclettes parce qu'ils avaient l'intention de partir le matin de bonne heure. Toni Folo demanda où ils voulaient aller et le temps que durerait leur sortie. D'après leur réponse il choisit deux bicyclettes parmi la douzaine dont il disposait, car elles lui semblaient les mieux adaptées pour ce qui était du développement et des pneus.

— C'est des routes empierrées, dit-il, il faut de bons pneus, un bon braquet et de bons freins. Je vous mets aussi la pompe et une trousse avec les accessoires si par hasard vous creviez. Tu sais réparer un pneu ? demanda-t-il à Giacomo.

— Oui, je l'ai vu faire par mes copains, c'est facile.

— Et qu'est-ce que vous allez faire au pied des montagnes ? Une balade ?

— On veut aller là où ma famille était réfugiée, à côté de Calvene. Ma sœur y est morte de la grippe espagnole, répondit Irene.

— Des sales années ! Des sales années, mes enfants ! Ma famille était allée à Noventa ; moi, j'avais été rappelé dans l'aviation à cause de mon métier de mécanicien. Je venais des chasseurs alpins. Soyez prudents, les enfants, allez doucement en descente, et pédalez à fond dans la montée. Ramenez-les-moi dimanche, sans vous presser. Vous me payerez au retour.

Ils emportèrent cinq galettes de seigle, une tranche de fromage et un peu de saucisson à l'ail. Pour boire il y avait des fontaines le long du chemin. La Barental était fraîche et dans l'ombre, ils dépassèrent rapidement la Luka et le cimetière des Anglais. Le long de la montée de la Lapide ils poussèrent leurs bicyclettes à la main et ils s'arrêtèrent pour se reposer sur le siège en pierre où, disait-on, s'était assis l'archiduc Eugène de Habsbourg dans l'attente de descendre dans la plaine. Mais les bersaglieri étaient arrivés.

À l'osteria de Granezza avec son pâturage adjacent, où il y avait les sœurs Pûne, ils s'arrêtèrent encore pour boire une limonade. Les Pûne avaient en gérance cette petite auberge communale, de mai à octobre ; après quoi la neige fermait les routes et elles rentraient au hameau avec leurs quatre vaches et leurs deux génisses. S'étant restaurés ils reprirent la route, pédalant de bonne haleine à travers le Pian de Granezza, et quand ils arrivèrent à la Mazze, où, de la Bocchetta, le regard se perd dans la plaine lointaine en suivant les sinuosités de la Brenta et de l'Astico, un parfum de narcisses enivrant les atteignit. Ils s'arrêtèrent. Se tenant par la main ils regardaient ce monde inconnu et nouveau : les pâturages où fleurissaient les narcisses, les hameaux plus bas avec leurs toits de tuiles rouges, les villages au loin avec leurs clochers. Ces taches brunes, dans le fond, c'étaient peut-être les villes. Et ces collines, très loin, au-delà de la plaine, qui se confondaient avec le ciel ?

« Comme la terre est grande », pensèrent-ils ensemble.

— Attends, dit Irene, je veux cueillir un bouquet de narcisses pour ma sœur Orsola.

Ils laissèrent leurs bicyclettes sur le talus et ils grimpèrent dans le pâturage voisin.

— Il faut prendre ceux qui ne sont pas complètement ouverts parce qu'ils durent plus longtemps, dit Giacomo.

— Moi, je choisis les plus beaux et les plus parfumés, lui répondit Irene. Regarde comme c'est beau ! s'exclama-t-elle en ouvrant les bras comme si elle avait voulu embrasser la terre entière.

Ils en cueillirent deux grands bouquets. Giacomo les attacha avec une ficelle aux guidons de leurs bicyclettes ; ils commencèrent la descente vers Monte di Calvene. En cours de route ils croisèrent les bergers qui remontaient le Plateau et ils durent descendre de bicyclette pour les laisser passer. C'étaient les Dalla Bona : Giacomo les connaissait, car il les avait rencontrés aux Terre More en allant avec son père récupérer le matériel de guerre. Ils le reconnurent eux aussi et Guerrino le salua :

— Salut, jeune homme. Qu'est-ce que tu fais là ?

— Je vais au Prà del Giglio, où sa famille à elle était réfugiée en 16.

— Nous, on est partis de là ce matin et maintenant, tout doucement, en passant par le Prà Peloso et le Reitertall, on va vers Galmarara. Dans une semaine on est là-haut. Salut, à un de ces jours.

Bergers et troupeau continuèrent à avancer lentement, au milieu des bêlements des agneaux qui appelaient leurs mères, des brebis qui appelaient leurs petits. De temps en temps un ou plusieurs de ces moutons quittaient le chemin pour aller dans les prés manger l'herbe plus tendre, alors le sifflement ou le geste d'un berger envoyait un chien les ramener dans le troupeau. Au centre marchaient les béliers et, les dominant tous, on en voyait un aux cornes robustes et recourbées qui s'avançait la tête haute en regardant l'échine des brebis. Des ânes, des ânesses et des ânons marchaient mêlés au troupeau : certains portaient dans leur besace les agneaux nés cette nuit-là au Prà del Giglio, à l'étape. L'âne le plus robuste avait sur son bât le chaudron pour la polenta, la farine et le sel ; un autre les toiles imperméables et les peaux de mouton pour dormir des bergers.

Quand tout le monde fut passé, ils remontèrent à bicyclette. À Monte ils demandèrent leur chemin, et à nouveau aux Capozz et au Maso ; ils arrivèrent enfin, après avoir traversé le petit vallon, à la maison abandonnée où avait vécu la famille d'Irene. Dans l'air demeurait l'odeur du troupeau qui y avait fait étape et dans l'âtre il y avait encore les braises laissées par les bergers.

Ils comprirent à quel point avait dû être triste leur pauvreté : rien ne rappelait la maison, les potagers, les prés de leur hameau. Un malheureux âtre, un toit qui laissait voir le ciel, des orties et des broussailles jusqu'à l'entrée de la cuisine, des fenêtres mal accrochées à des gonds rouillés.

— Mon grand-père disait que d'ici ils entendaient les combats dans la montagne, mais que les gens des environs étaient des braves gens. Beaucoup cherchaient à rendre service de leur mieux, dit Irene.

— Ils étaient plus pauvres que chez nous parce qu'ici la campagne appartient aux riches, observa Giacomo.

— Mon frère Matteo me racontait qu'il partait de cette maison pour aller travailler avec le génie militaire. C'était encore un enfant.

Ils regardèrent en silence la cuisine petite et désolée ; ils montèrent par l'échelle dans la première pièce où il y avait encore des planches avec une paillasse dessus ; par les fenêtres sans carreaux ils regardèrent les montagnes vers le nord et la plaine vers le sud.

— Nina et Orsola, avec ma mère, dormaient dans cette chambre. Dans celle du haut mon grand-père avec Matteo, dit encore Irene. Après, quand finit la guerre, arriva aussi mon père.

Ils sortirent pour aller au cimetière. Ils demandèrent le chemin à des paysans qui ramassaient des cerises et qui, après le leur avoir indiqué, leur demandèrent d'où ils venaient.

— Alors, dit un homme, vous êtes ceux du Prà del Giglio. Venez, venez donc manger un peu de cerises. Nous, on est les Nicoli. Vous vous rappelez de nous ?

Non, ils ne pouvaient pas les connaître, si ce n'est

149

par ouï-dire. Ils étaient nés tous les deux après que leurs familles étaient retournées sur le Plateau. Irene dit qu'ils étaient descendus de là-haut pour connaître l'endroit et pour mettre un bouquet de fleurs sur la tombe de sa sœur Orsola. En revanche, les Nicoli se rappelaient de Orsola, qui était morte de la fièvre espagnole, et aussi de Matteo, de sa mère, de son père. Ils demandèrent des nouvelles de tout le monde, et c'est ainsi qu'ils apprirent que Matteo était parti pour l'Australie avec sa femme et que le grand-père était mort.

— Après le cimetière, revenez ici. Restez manger la soupe avec nous. Vous nous ferez plaisir.

Giacomo et Irene se regardèrent et dirent que oui.

Ils remontèrent à vélo et ils allèrent au cimetière. Ils cherchèrent les tombes les plus petites. La place des enfants était contre le gros mur, au soleil. Il y en avait toute une rangée avec des petites croix en bois et en fer ; sur certaines on pouvait lire les noms, sur d'autres ils étaient en partie effacés ou manquants. Ils ne trouvèrent pas le nom d'Orsola, et l'herbe et les fleurs des champs avaient tout recouvert : ils déposèrent le bouquet de narcisses parmi cette herbe et ces fleurs.

— C'est comme les soldats morts à la guerre, dit Giacomo.

Quand ils revinrent à la maison des Nicoli il était déjà midi. Dans la grande cuisine la table avait été mise pour eux aussi. Ils mangèrent la soupe et la polenta avec des haricots. Les Nicoli parlèrent de ce temps-là, de l'époque où la famille d'Irene était réfugiée, et de la guerre dans les montagnes, des soldats anglais et de la fièvre espagnole qui avait aussi emporté leur Caterina. Ils voulurent avoir des nouvelles de Matteo et savoir s'il se plaisait en Australie. Giacomo et Irene étaient un peu embarrassés par toutes ces attentions. Les Nicoli voulurent encore leur donner des cerises.

— Mettez-les dans votre musette, vous les mangerez en haut du Costo. Aujourd'hui, il fait chaud.

Ils donnèrent aussi aux deux jeunes gens une bouteille de leur vin blanc doux :

— C'est pour ta mère : dis-lui que c'est les Nicoli qui la lui envoient.

Ils repartirent. Tout le monde était là, pour leur dire au revoir. Ils pédalèrent en silence jusqu'à Caltrano et quand la côte commença Giacomo dit :

— C'est vraiment des braves gens, les Nicoli.

22.

L'été languissait. Après la coupe des foins les premiers estivants arrivèrent ; pour la plupart, des
malades des poumons qui venaient ici en montagne
chercher un peu de santé dans les bois. Malgré l'arrêté interdisant la mendicité, qui restait bien en vue à
l'entrée du village, beaucoup de pauvres frappaient
toujours aux portes des maisons pour demander l'au-
mône.

Quand les soldats arrivaient — simple campement
ou manœuvres —, de nombreux enfants, avec des
récipients de fortune, allaient demander les restes de
la soupe, ou, pour la moitié d'un pain, ils rendaient
de petits services comme poster une lettre, acheter
des cigarettes, déposer le linge chez les lavandières.
Les grands camps de l'ONB avaient été suspendus ou
transférés ailleurs, mais ici se tenaient encore les
rassemblements provinciaux. Il restait toujours un
milieu d'officiels qui gérait les colonies de vacances,
les concours de gymnastique, les manœuvres militaires, les cérémonies ; et un autre monde composé
d'émigrants, de chômeurs, et même d'affamés.

Beaucoup de gens estimaient avoir de la chance s'ils arrivaient à faire manger leur famille deux fois par jour. Dans les boutiques, les comptes sur les livrets devenaient de plus en plus longs.

De temps en temps un travail précaire aidait aux dépenses indispensables : des chaussures ou un pantalon, deux écheveaux de laine pour tricoter un chandail, ou encore l'arrachage d'une dent par le médecin ; autant de choses que normalement on ne pouvait pas se permettre.

Le temps des framboises vint. Pendant deux ou trois semaines, sauf si un violent orage ou une chute de grêle avait tout dévasté, les femmes et les filles partaient au lever du soleil cueillir des framboises pour la distillerie locale qui préparait les sirops, ou qui les revendait à la Zuegg de Bolzano.

Avec des paniers et des seilles en bois elles marchaient jusqu'aux grandes clairières que la guerre avait ouvertes.

Irene aussi partait avec sa mère, en compagnie des autres femmes et des autres filles du hameau. Sur le chemin muletier qui montait à la Wassagruba ou au Peeraloch elles se racontaient leurs petites affaires et leurs secrets. Même en cueillant les framboises elles se faisaient des confidences. Parfois elles chantaient la chanson du mineur qui revient de la mine, ou celle de la maison de l'aimé qui n'est que pierres et toiles d'araignée mais qui, aux yeux de l'aimée, est un palais avec des rideaux brodés. Leurs voix se répandaient, sereines, à travers ces lieux où peu d'années auparavant on entendait le fracas des combats et les râles des blessés.

Parfois, le matin, une femelle de coq de roche qui s'attardait à manger les framboises prenait soudain son vol : un sursaut, des battements de cœur et un peu d'épouvante, mais après, toutes ces femmes poussaient un soupir de soulagement et riaient ensemble. Quand elles avaient dans les deux kilos de fruits dans leurs paniers, elles allaient les vider dans les seilles, à l'ombre des sapins ou dans une galerie fraîche. Pour manger elles se réunissaient à côté d'une source et comparaient leurs récoltes. La vieille Nina allumait sa pipe, les filles s'allongeaient une demi-heure pour dormir, et les mères, à voix basse, parlaient de leurs hommes ou des commérages du hameau. Parfois, pendant cette halte de midi, aux femmes des framboises s'unissaient les récupérateurs qui creusaient dans les environs et qui les avaient entendues chanter ; alors les propos se faisaient plus vifs et plus joyeux à cause des allusions claires mais pudiques des frères Pûne.

L'après-midi elles reprenaient leur chemin en portant les seilles pleines de framboises accrochées à la barre recourbée que supportaient leurs épaules. Là où se trouvait la plaque à la mémoire d'un capitaine autrichien les attendait le cheval avec la charrette sur laquelle charger la récolte de la journée. Elles allaient en groupe à la distillerie rue Monte-Ortigara pour le pesage et le payement. Mario, lui aussi, les attendait, et parfois il demandait à Irene de lui faire cadeau de quelques fruits. Les framboises étaient payées de quatre-vingts centimes à un lire vingt le kilo. Une fille qui allait vite pouvait en cueillir jusqu'à dix kilos ; et les filles à marier pouvaient ainsi acheter quelque chose pour leur dot : du chanvre et du lin à filer pendant l'hiver.

23.

Chaque matin, dès que le jour dessinait les chemins empierrés qui montaient vers les tranchées, la file des récupérateurs allait en silence ; le bruit de pas sur les cailloux alarmait les lièvres qui venaient de se terrer. L'engoulevent ricanait avant de s'endormir. Avec Giacomo prenaient aussi la route les amis des hameaux voisins : les Pûne, les Grass, les Vuz, les Sech, les Ballot, les Càstelar.

S'il semblait qu'il allait faire beau, ils marchaient jusqu'à la Mina della Botte et au Monte Palo, si la pluie menaçait ils s'arrêtaient avant. Au moment de commencer à creuser certains choisissaient un bout de tranchée, d'autres une plate-forme de tir, d'autres encore des traces de baraquement ou de batterie. Penchés, silencieux, ils grattaient et creusaient le sol, observant et étudiant maints petits signes susceptibles de donner des indications utiles : calibre et type de l'obus, nationalité, profondeur, possibilité ou non de le récupérer ; s'il s'agissait de douilles ou de cartouches. À quiconque signalait la découverte d'un corps à l'aumônier militaire revenait une récompense de vingt lires (c'est du moins ce que disait un petit avis). Après quoi l'aumônier devait se rendre sur le lieu et ramasser le corps : s'il s'agissait d'un inconnu ses restes étaient portés au tas à l'intérieur de l'ossuaire monumental ; si ceux-ci étaient identifiables, on les plaçait dans une caissette avec les renseignements appropriés. À la suite de cet avis, et après que le bruit s'en était répandu parmi les récupérateurs, certains, le soir une fois le travail fini, allaient signaler leur trouvaille. L'aumônier prenait bonne note et fixait le rendez-vous sur les lieux. Mais parfois il avait du retard, ou il n'arrivait pas, ou il remettait la rencontre. Et au lieu des vingt lires promises il finissait par n'en donner que dix. Cette façon de se comporter ne convenait pas aux récupérateurs car ils perdaient des journées de travail pour rien. Le résultat fut que quand ils découvraient des ossements de soldats, ils les recouvraient et ils récitaient un requiem pour leur âme.

Un matin le père de Giacomo s'était arrêté pour creuser entre les deux tranchées qui se faisaient face sur le Zebio. Il sortait un peu de tout : des éclats, des cartouches chargées ou vides, des billes de plomb, des baïonnettes, des bouts de cuivre, des ossements. Il ramassait et il mettait de côté en trois tas différents. Fatigué, il se redressa pour rouler une cigarette de gris. Venant de la Pozza dei Pastori il vit un homme s'approcher, une personne étrange avec des chaussures de tennis, des chaussettes blanches, un short en toile coloniale, un maillot de corps et un chapeau de paille ; il tenait dans sa main un sac en papier. Quand il fut près de lui il comprit qu'il pouvait s'agir du « Colonel fou » que son fils Giacomo lui avait signalé.

Ce colonel depuis plusieurs étés avait l'habitude d'arriver ponctuellement : il logeait chez Mme Anna, la sage-femme de la commune. Tous les matins il sortait de la maison, parcourait la rue Monte-Ortigara au « pas de gymnastique », en faisant des exercices respiratoires, des petits sauts et des flexions. Aux enfants qu'il rencontrait il disait : « La gymnastique ! Fais de la gymnastique, balilla ! Hop ! Hop ! Du nerf ! »

Les enfants le regardaient moitié riant, moitié apeurés. Ensuite, il allait chez Martin Boulanger acheter une livre de pain et chez Betta, la femme à Toi, acheter un kilo de fruits. Il continuait du même pas nerveux vers les bois et les montagnes au sud du village : Kaberlala, Magnaboschi, Lemerle, Zovetto, Cengio. Jusqu'au soir. Ne mangeant que du pain et des fruits. Les enfants racontaient que c'était le célèbre Colonel fou qui, en 1916, avait attaché aux roues des canons les soldats qui voulaient s'enfuir. Il avait été sur le Törle, quand l'ennemi avait fait sa percée et que les Austro-Hongrois étaient sur le point d'arriver dans la plaine et de gagner la guerre. On disait qu'il avait fait tirer de plein fouet contre les assaillants autrichiens qui s'emparaient de ses canons ; avec son pistolet il tirait sur les Autrichiens qui s'approchaient et sur les Italiens qui voulaient s'enfuir. C'est ainsi qu'il était devenu fou.

Il s'approcha du père de Giacomo :

— Bonjour. C'est parce que vous êtes fatigué que

vous vous êtes arrêté pour fumer ? C'est mauvais pour la santé de fumer.

— Ça fait aussi passer la faim, la soif et la colère, lui répondit Giovanni, contrarié.

— Sur cette montagne avec mes canons j'ai tiré des milliers de coups. Je commandais les batteries du Törle.

— Ah, vous commandiez les batteries de 149 ?

— Comment faites-vous, à savoir que c'était du 149 ?

— Regardez, c'est quoi ça ? dit-il en lui tendant un culot de projectile.

Le Colonel fou le prit dans sa main, en le soupesant :

— Oui, c'est à moi.

— C'était. Maintenant il est à moi, dit le père de Giacomo. Mais on dit que vous avez aussi tiré sur les nôtres.

Le colonel resta un moment en silence, comme s'il se rappelait, puis il dit :

— Qui l'a dit ?

— Vous savez, monsieur, moi aussi j'ai fait quatre années de guerre et il y a des choses que j'ai vues. Et puis un officier sarde qui est venu ici l'année dernière m'a raconté que, juste là où nous sommes, notre artillerie avait tiré sur eux.

— Parce qu'ils ne voulaient pas avancer, alors j'ai fait raccourcir le tir pour les faire sortir des abris.

— Peut-être que ça ne s'est pas passé ainsi. Peut-être que vous vous êtes trompé en fournissant les coordonnées de tir. Il suffisait de se tromper de cinquante mètres.

— Mes batteries ne se trompaient jamais.

— Regardez, monsieur, observez bien. À la guerre, tout le monde se trompe. Même les Autrichiens. Sur les tranchées italiennes on trouve des morceaux d'obus italiens, sur les tranchées autrichiennes des morceaux d'obus autrichiens, sur les tranchées anglaises des morceaux d'obus anglais. Sur les flancs du Colombara, où on a du mal à se tenir debout, on a trouvé les bicyclettes des bersaglieri. Pour savoir comment les choses se sont passées, les commandants devraient venir apprendre chez les récupérateurs et non pas lire les histoires dans les livres !

— Tu as fait la guerre dans quelle unité ?

— Bataillon Bassano, 6e régiment de chasseurs alpins.

— Ah ! Ceux qui, pendant l'hiver de 1916, à la Grotta del Lago, ont solidarisé avec les Autrichiens !

— Oui, on a fait une trêve parce qu'il y avait six mètres de neige. Mais sur l'Ortigara, en juin 17, nous avons été les premiers à arriver au sommet. Maintenant ça suffit, laissez-moi travailler. Je n'ai plus de chefs.

Le père de Giacomo éteignit son mégot contre une pierre et il le rangea dans sa boîte de gris ; il reprit sa pioche. Il creusait. Le Colonel fou commentait à voix basse ce qu'il voyait sortir des pierres brisées par ses coups de canon. Quand il vit une mâchoire avec toutes ses dents saines et blanches, il la ramassa, déposa un baiser dessus et la rangea à côté du matériel récupéré ; puis il se mit au garde-à-vous et salua en portant la main droite au bord de son chapeau de paille ; il s'en alla en sautillant parmi les rochers que la mine du 8 juin 1916 avait projetés alentour.

Ce soir-là, au hameau, quand on se retrouva sur les seuils des maisons pour commenter les résultats du travail de récupération, le père de Giacomo raconta aussi sa rencontre avec le Colonel fou.

— Va savoir ce qu'il vient chercher, dit Moro. Peut-être qu'il a des remords pour tous les gens qu'il a tués.

— Je ne crois pas, observa Angelo Càstelar, récemment revenu de France. Le Colonel fou est comme ces types qui croient qu'ils ont toujours raison : ce qu'ils font est toujours juste. Comme le Duce.

— Une fois, sur le Zebio, j'ai rencontré quelqu'un, commença à raconter Angelo Schenal, qui disait qu'il avait été lieutenant dans la brigade Catania. Maintenant il est chef de gare. Il m'a dit que là où il y a le grand trou de la mine, avant il y avait un rocher qui était haut comme une maison et qu'ils montaient dessus avec des échelles en bois. De là ils pouvaient voir les Autrichiens quelques mètres en dessous et ils étaient si rapprochés qu'ils s'appelaient par leur nom. Pendant ce temps, par en dessous, Italiens et Autrichiens travaillaient à creuser deux galeries qu'ils remplirent de dynamite. Dans la nuit du 7 au 8 juin 1917 il y eut la relève, disait ce lieutenant, et sur la Lunetta, c'est ainsi qu'ils appelaient ce rocher, arriva un groupe d'officiers pour étudier le terrain de l'attaque qui devait avoir lieu le 10. Survint

161

un orage, les uns disent un éclair, les autres, les Autrichiens. Le fait est que la mine ou les mines explosèrent tandis que ces officiers étaient là-haut en train de regarder.

— C'est un fou qui a voulu essayer si le détonateur fonctionnait, dit le père de Giacomo.

— On dit qu'ils moururent tous, en même temps que plus d'une centaine de soldats italiens. On ne sait pas combien d'Autrichiens. Les morts sont sous ces rochers en morceaux, conclut Angelo Schenal.

— Moi, une fois j'ai cherché à entrer là-dessous par une galerie du côté autrichien. C'était trop dangereux, à un endroit j'ai rebroussé chemin parce que ça s'écroulait de partout. Maintenant ça a dû s'effondrer, dit Ricardo Pûn.

— Tu sais, observa le père d'Irene, qu'à une centaine de mètres derrière les premières lignes autrichiennes, juste après la mine, il y a une galerie qui s'enfonce profondément et juste à droite de l'entrée se trouve la plaque commémorative d'un capitaine Gefallene wegen Italienische Mine ?

— Mais toi qui as fait la guerre, tu devrais savoir que les Autrichiens appelaient « mine » les grenades et lance-mines, les lance-grenades. Les nôtres les tiraient de la Croce di Sant'Antonio. On dit que là est aussi mort le lieutenant Filzi, un irrédentiste, frère de celui qu'ils ont pendu en même temps que Cesare Battisti. Un jour j'ai rencontré des gens du Trentin qui étaient venus voir pour poser une plaque commémorative. Lui, on ne l'a plus retrouvé.

Des enfants se tenaient autour des hommes et

écoutaient ce qu'ils racontaient. Giacomo et Irene, au bout d'un moment, s'en allèrent de leur côté. Les plus jeunes recommencèrent à poursuivre les libellules autour de la mare, les plus petits à attraper les vers luisants apparus une fois que les martinets étaient allés dormir sous les toits. Les femmes appelèrent les enfants pour les envoyer se coucher. Et quand les hommes furent seuls, ils changèrent de conversation. Angelo Càstelar sortit de sa poche revolver une feuille pliée en quatre, il la déplia avec délicatesse et lut à mi-voix qu'en France les exilés politiques de tous les partis s'étaient réunis pour lutter contre la dictature fasciste, et qu'ils invitaient les Italiens à en faire autant.

— Mais toi, ces exilés, tu les as connus ? demanda Moro Soll.

— Pas directement, les nouvelles et les tracts m'arrivaient par l'intermédiaire des camarades de travail. Après j'ai rencontré Mosè Trip, il m'a dit que parmi les antifascistes il y avait trois hommes importants et qui s'étaient échappés de l'île où ils avaient été assignés à résidence. Ajoute les frères Rosselli, un certain Salvemini, le professeur Trentin qui vient d'ici, il est de Trévise, les frères Walter de Schio.

— Les frères Rosselli ? demanda le père d'Irene. En 1919-1920 il y avait ici un lieutenant Rosselli qui le jour de l'an a accompagné le médecin avec le traîneau quand ma femme a accouché d'Irene. C'est même lui qui a trouvé ce prénom. Il disait que ça veut dire paix. Ça m'a semblé une bonne idée, vu que la guerre était finie depuis pas longtemps.

La nuit tomba, dans les maisons on allumait les lampes et la lune montante s'élevait dans le ciel vers son point le plus haut, volant leur lumière aux étoiles. Les hommes éteignirent leurs cigarettes et rangèrent leurs mégots dans les boîtes de gris.

— On va où demain ?

— Dans le même coin.

— Bonne nuit.

— Salut.

— Bonne nuit à tout le monde.

— Bonne nuit.

24.

— Maintenant il va falloir aussi faire la guerre pour défendre l'Autriche, dit le soir Moro Soll, en reprenant la conversation. J'ai été au village pour acheter du papier à cigarettes et du gris, j'ai entendu dire que Mussolini a mobilisé trois divisions là-haut, au Brenner.

— C'est de la folie ! Mais qu'est-ce qui se passe ? demanda Angelo Schenal.

— Il se passe qu'il y a quelques jours le chancelier Dollfuss a été assassiné et le Duce pense que l'Allemagne veut s'emparer de l'Autriche, expliqua Moro, si bien qu'on aura les Allemands à la frontière.

— C'est une bande de fous. On n'a pas encore enterré les soldats qui sont morts à la Grande Guerre, et ils pensent déjà à en faire une autre, ajouta le père de Giacomo.

— Mussolini voudra faire peur aux Allemands, mais les Allemands maintenant ils ont un certain *Liter*, et le litron leur monte la tête, observa Tin Grass. C'est des têtes de bois avec leur casque à pointe.

Nin Sech qui se taisait presque toujours, fumant seulement sa petite pipe, dit, à la surprise générale :

— Il faut espérer dans la Russie, c'est les Russes qui tiendront tête aux Allemands. Le peuple allemand se laisse influencer par les capitalistes fabricants d'armes, mais en Russie la classe ouvrière est au pouvoir. On en a assez, nous, de la faim, de la misère, de l'émigration et de la guerre. Il serait temps de se réveiller.

Sur ces mots la nuit tomba et tout le monde alla se reposer pour pouvoir reprendre le travail de récupération le matin suivant.

Cet été-là se produisit un autre accident. Un pauvre garçon des collines qui, pour manger, était venu ici sur le Plateau comme serviteur à Malga Pozze, en gardant les génisses qui étaient au pâturage entre l'Ortigara et Monte Chiesa, avait trouvé dans l'herbe un petit obus. Il le ramassa et il se mit à le titiller. L'alpagiste retrouva le corps en morceaux.

L'automne approchait : avec la grande foire de la Saint-Matthieu les vaches descendirent des alpages et les bergers rassemblèrent les troupeaux au Basazenocio et à la Busa della Pesa pour la tonte et le contrôle. Les tenderies étaient couvertes de branches vertes pour cacher les filets ainsi que les quelques huttes ; dans le matin clair on entendait les chiens des chasseurs sur les traces des lièvres. Le jour de la foire, alpagistes, bergers, récupérateurs, charretiers, bûcherons se retrouvèrent pour passer un peu de temps ensemble entre amis, boire un verre et manger la soupe aux tripes en y trempant leur pain. Durant cette journée tant attendue, ils parlèrent aussi d'un fait nouveau, plutôt dur à supporter : le Duce, avec une nouvelle loi, avait ordonné le service prémilitaire obligatoire pour tous les jeunes gens de dix-huit à vingt ans et le service postmilitaire de dix ans, après leur libération. Tous les samedis. Ils calculaient : cent cinquante samedis avant de partir soldat, cinq cents après le retour à la maison ! Les commentaires étaient amers : « Il leur faut toujours des soldats », « Au moins si on était payé », « Le samedi, c'était le jour réservé à la provision de bois pour l'hiver ». Mais il y en avait aussi que cette loi réjouissait : ils se voyaient en uniforme, avec des bottes, donnant des ordres « en rang », « en avant marche », « au pas de course », « halte », « salut au Duce ! ».

Vint un hiver comme les autres : de la neige, de la pluie, de la neige, du froid ; mais bien pis pour d'autres raisons, car dans pas mal de maisons le soir on éteignait feux et lumières pour aller se coucher très tôt : on ne consomme pas pendant qu'on dort et on ne sent pas la faim. À la veillée on commençait à parler de l'Abyssinie et des grandes richesses que son sous-sol renfermait, des grandes possibilités de cultiver du café, du blé, des bananes, du coton, on parlait aussi de Adoua, de l'Érythrée. Les plus âgés se rappelaient les noms des hommes du village et des hameaux qui, en 1890, étaient allés là-bas se battre contre Ménélik, sous le commandement du général Baratieri, qui perdait toutes les batailles. Si bien qu'on le remplaça par le général Baldissera. Il y avait une vieille femme qui chantait : « Ô Baldissera, ô Baldissera / méfie-toi de ces nègres-là / ... » Ils se souvenaient aussi de cela quand dans la *Vedetta Fascista* apparut la nouvelle que le général Emilio De Bono, un des quadrumvirs, avait été envoyé en Afrique orientale y commander l'ensemble des troupes italiennes.

Giacomo, Nino, Mario, Min, Lella et Menta se retrouvaient avec d'autres garçons, tous les samedis, pour l'entraînement à skis. Ils couraient en partant des Prati del Folo et faisaient un tour avec montées et descentes, en revenant par la Barental. Après les épreuves de sélection provinciales, ceux qui étaient retenus participeraient aux championnats nationaux en Valteline ou en Piémont. Le meilleur au ski de fond c'était Rizzieri, mais maintenant il courait avec les jeunes fascistes car il avait passé l'âge d'être avant-gardiste.

À l'école les enseignants d'italien et d'histoire-géo parlaient de l'Afrique orientale où le commandement de notre armée transportait des troupes et du matériel à travers le canal de Suez.

Giacomo, Min, Nino et trois ou quatre autres avant-gardistes furent sélectionnés pour les épreuves nationales de l'ONB. Ils revinrent avec des coupes et des médailles ; les coupes finirent à la Maison du fascisme de Vicence, mais ce n'était pas très grave, mieux valaient les récompenses personnelles : chandails, tricots, gants, skis, grosses chaussettes. Giacomo, à son retour, raconta son expérience à Irene et à Mario : c'était la première fois qu'il était allé loin de chez lui et qu'il avait voyagé en train. Il concluait son récit en disant que, après tout, chez nous c'était mieux que n'importe où ailleurs.

Au printemps les travaux de l'ossuaire monumental reprirent, et quand Giacomo se présenta, un chef lui dit qu'il pouvait se considérer libre car à sa place on avait embauché un garçon qui appartenait à une famille nombreuse et qui leur avait été signalé par le secrétaire politique. Il reprit alors avec son père le travail de récupération. À l'époque il y avait des gens qui ne pouvaient même pas s'acheter de quoi accompagner la polenta et tous les trois, quatre jours, dans l'attente de pouvoir vendre ce qu'ils trouveraient en creusant, ils prenaient du sang au cou de la vache qu'ils avaient dans leur étable et ils le mangeaient cuit avec de l'oignon ; au mois de mai les escargots aussi furent les bienvenus et, plus tard, avec la polenta on mangeait des myrtilles, des fraises et des framboises. Comme on était content de prendre un lièvre au collet ! Beaucoup d'enfants attrapaient les oiseaux avec de la glu ou avec une fronde, c'était là, pour certaines familles, le seul plat de viande.

Comme toujours, les récupérateurs, sur le coup de midi, se réunissaient en groupes pour faire griller ensemble leur polenta. Ils arrivaient même à plaisanter de leurs misères. Mario Ballot imitait les discours du Duce qu'on entendait à la radio par haut-parleur, faisant rire jusqu'aux plus taciturnes. Une fois il voulut raconter de combien de morceaux d'étoffe était faite la veste de son oncle : il y en avait soixante-douze. Mais tout le monde avait des chemises, des pantalons, des vestes, des chaussettes faits de pièces, et les pièces étaient reprisées et renforcées avec d'autres pièces. Les mains, les habits, parfois leurs visages, étaient jaunes, couleur qu'avait laissée le TNT ou un autre explosif au contact duquel ils s'étaient trouvés.

25.

C'étaient des années amères à vivre. Des familles nombreuses qui étaient allées travailler la terre dans les marais Pontins asséchés avaient fait connaître les difficultés pour ce qui est du travail et de l'adaptation. On racontait que Toni le Fou avait abandonné les mines de la France sans régler ses dettes car la direction de la Compagnie ne payait pas comme prévu dans les contrats. Il prit le train en cachette avec sa femme et ses quatre enfants, en laissant dans la baraque un mot aux créanciers : « Je n'ai pas d'argent pour vous payer mais mes jeunes enfants doivent quand même manger. Allez vous faire payer par les patrons de la mine ! »

En arrivant à la frontière il demanda à parler au chef de la police. Il lui dit qu'il était revenu dans sa patrie parce que le Duce avait besoin de beaucoup de bras et que, quant à lui, il était prêt à aller travailler dans les terres récemment asséchées. On lui donna un bon pour un repas à la cantine des cheminots et une feuille de route pour rentrer chez lui. Une fois arrivé au village il se présenta au podestat et au secrétaire du parti :

— En France les représentants du fascisme à l'étranger m'ont dit qu'en Italie il y avait du travail pour tout le monde. Me voilà. Je suis prêt à aller avec toute ma famille à Littoria.

Non, ce n'était pas possible, ses enfants étaient encore trop petits et ils n'étaient pas en mesure de travailler la terre. Toni le Fou, alors, prit avec lui les deux aînés et s'en alla sur l'Ortigara faire de la récupération. Il se logea dans une galerie. C'est là, sur cette même montagne, que l'aîné de ses fils eut une main déchiquetée par un détonateur. Toni l'avait bandé de son mieux et conduit en courant chez le médecin qui venait d'arriver et qui dénonça le fait aux carabiniers. Ils voulaient l'arrêter pour coups et blessures à son propre fils et pour appropriation indue de biens de l'État.

— Très bien, vous n'avez qu'à tous nous mettre en prison, dit Toni le Fou, comme ça au moins vous nous donnerez à manger.

Mais il retourna faire le récupérateur.

Un jour de la fin de l'été, sur les pentes du Zebio, Giacomo, son père et les autres récupérateurs étaient en train de manger. Il bruinait, le brouillard montait de la vallée et s'accrochait aux arbres ; l'humidité pénétrait dans les os et agissait sur l'humeur de tout le monde. On aurait dit une journée d'automne avancé plutôt que de fin d'été. Même Mario Ballot n'avait pas envie de plaisanter, bien qu'il ait appris, depuis peu, à imiter les discours de Hitler, en inventant une langue pleine de consonnes avec quelques voyelles grinçantes, dans laquelle il intercalait à tort et à travers des mots de dialecte ; il montait en haut d'un rocher et terminait avec le salut nazi : « *Eia Kartoffe !* »

Mais c'était pas le bon jour ; la pluie fastidieuse et insistante n'invitait pas à creuser le long des tranchées. Tout le monde se taisait, l'air triste. À un certain moment Meneghin Picche lança sa pioche au loin en s'écriant :

— J'en ai assez de cette vie. Ça suffit.

On ignore comment il pensait la changer, ni à quoi renvoyait son « ça suffit ». La pioche en rebondissant fit un bruit étrange. Comme s'il regrettait son geste de rébellion, lui qui était toujours si calme, un moment après il se leva pour aller reprendre son outil, et sous ses pieds il perçut encore le même bruit, comme s'il y avait du vide. Avec le côté plat de sa pioche il gratta la terre et des planches affleurèrent. Il les déplaça avec la pointe de son outil, en ôta deux et une fente apparut dans le rocher. Elle était bourrée de cartouches italiennes.

— Regardez ici ! Venez ! s'écria-t-il.

Mario Ballot, Nin Sech, Moro Soll, Angelo, Giacomo et son père se levèrent pour aller voir et, stupéfaits, ils regardèrent ce qui leur apparaissait comme un trésor, caché de cette façon sans qu'on sache ni pourquoi ni comment.

Meneghin Picche commença à retirer ces cartouches à pleines mains, il semblait qu'on ne dût pas en voir la fin. Toutes chargées, en parfait état de conservation, et donc bonnes aussi à fournir de la poudre aux chasseurs : du plomb, du cuivre et de la poudre aussi. Il en sortit un bon tas, deux cents kilos, à vue de nez. Et quand le soir tomba il ne les avait pas encore toutes sorties. Pendant ce temps les amis faisaient des hypothèses : qui pouvait bien les avoir cachées de cette façon et pourquoi ? Ils regardaient la position de cet abri tout de suite derrière la tranchée italienne avec la tranchée autrichienne en face. « Un saboteur », disait l'un ; « un soldat qui voulait se faire un magot pour après la guerre », disait l'autre ; un autre encore pensait qu'il s'agissait d'un révolutionnaire qui avait constitué une réserve de munitions. Ce fut le père de Giacomo, grâce à l'expérience, qui fit l'hypothèse la plus juste.

— Devant, dit-il, là où vous voyez cette saillie, devait se trouver un nid de mitrailleuses Fiat et derrière, dans cet abri, les porteurs de munitions au service de ces armes tenaient les caisses contenant la réserve des cartouches qui servaient à préparer les chargeurs pour tirer. En novembre 1917, quand vint l'ordre de repli vers les Melette et le Monte Fior, ils ne purent pas toutes les emporter et comme ça, pour que les Autrichiens ne les découvrent pas, ils ont eu l'idée de les cacher dans ce trou. Il ajouta : Pour Meneghin Picche qui en avait assez de faire le récupérateur.

Le jour suivant ils revinrent sur le lieu avec la charrette et le cheval de Nappa. Meneghin continua à retirer des cartouches jusqu'à midi, après quoi ils l'aidèrent à les porter jusqu'au chemin muletier. Le soir quand il les entreposa dans la baraque à côté de sa maison, ils estimèrent qu'il y en avait dans les sept cents kilos. Il travailla encore quinze jours avec sa femme pour les désamorcer et les vider de leur poudre. Quand il alla les vendre il en retira de quoi vivre pendant tout l'hiver, lui et sa famille. Il en resta encore pour l'hiver suivant.

Le beau temps d'automne revint, l'horizon était limpide et le ciel clair. Le 3 octobre 1935 Nino et Mario avaient décidé que l'après-midi, comme tant d'autres fois, ils iraient à la tenderie du Rasta. C'était l'époque du passage des pinsons et, s'ils se dépêchaient de manger et de marcher, ils arriveraient à temps pour assister à la capture de quelques douzaines d'oiseaux. À la fin de la journée ils aideraient à rassembler les appeaux devant la hutte pour la distribution de la pâtée et ils iraient chercher l'eau pour remplir les augets à l'intérieur des cages.

Mais non, il en alla autrement car, avant midi, le directeur de l'école avait envoyé l'appariteur faire le tour des classes porteur de l'avis qu'ils devaient tous, en uniforme, se rassembler sur la place devant la mairie pour y écouter, transmis par la radio, un important discours du Duce.

Ils se retrouvèrent en grand nombre : balilla, avant-gardistes, jeunes fascistes, miliciens, Petites Italiennes, Jeunes Italiennes, femmes fascistes. Au premier rang le podestat et le secrétaire politique, les enseignants en uniforme, les carabiniers, les douaniers, les forestiers. « Salut au Duce ! » cria à Rome Achille Starace : la radio le retransmit à toutes les places d'Italie, amplifié par les haut-parleurs. « En avant ! » répondit la foule sur les places.

Chez les enfants, les jeunes, mais aussi chez les adultes, une euphorie inhabituelle se manifesta pendant tout le discours qui, à de nombreuses reprises, fut interrompu par le cri de « Du-ce ! Du-ce ! » Le Duce disait que le moment était venu de venger les héros de Adoua et d'effacer le tort subi à Ual Ual, et qu'en ce moment même, tandis qu'il parlait, nos valeureuses troupes avaient franchi les frontières de l'Éthiopie avec une foi inébranlable dans la victoire. « Du-ce ! Du-ce ! »

Ce soir-là, dans les rues du village, il y eut jusqu'à tard une animation inhabituelle ; des groupes chantaient les chansons exaltant la patrie et la révolution fasciste, alors que peu de gens, très peu de gens, se sentirent attristés.

Parmi eux le père de Giacomo qui, le jour suivant, faisait de la récupération avec son fils vers la Grotta dei Colombi. En creusant, devant les positions autrichiennes situées dans des grottes derrière deux rangs de barbelés, ils avaient entendu les chiens de chasse des Müllar. Ils avaient fini, eux aussi, par distinguer les voix de ces chiens qui remontaient la vallée : le Cimbro, la Selva, le Bosco, et la Stéla. Les chiens avaient senti les fumets dans les Kemple du Passo Stretto, avant même que le soleil n'arrivât à éclairer la gelée blanche. Après plusieurs passages la Selva était arrivée à trouver la bonne trace et donc à faire bondir le lièvre blotti dans son terrier. D'abord quand elle avait glapi, puis aboyé joyeusement, les trois autres chiens avaient cessé de chercher pour suivre à la queue leu leu son signal. La vallée retentit de leurs voix. Le Cimbro, en despote, avait aussitôt pris la tête, dépassant tous les autres, et il avançait, sûr de lui, sur la trace fraîche : sa voix de baryton donnait de l'assurance aux chasseurs qui étaient aux aguets. Le Bosco était comme un ténor, voix limpide et sonore, les rochers du Piandot renvoyaient son aboiement aux rochers du Colombara. Au contraire, la Selva et la Stéla aux voix aiguës y allaient joyeusement de leur contre-chant. Et toute la vallée en résonnait. « Ça devait être un vieux lièvre, pensait le père de Giacomo, ils n'ont pas encore tiré. »

Le clabaudage se perdit à travers les bois de Fiara et des Mandrielle, revint au Boscosecco et au Fontanello ; il y eut le tir et le cri : « Il est mort ! »

Les chiens cessèrent d'aboyer et, comme il était déjà midi, Giacomo et son père se dirigèrent eux aussi vers le Fontanello.

Les quatre chiens dormaient, épuisés, à l'ombre d'un grand sapin, deux lièvres, et non pas un seul, étaient pendus aux branches au-dessus de leurs têtes. Les trois Müllar mangeaient de la polenta et du fromage à côté de l'endroit où on recueillait l'eau dans un tronc creusé.

Ils se saluèrent, après quoi le père de Giacomo dit :

— Vous avez fait bonne chasse aujourd'hui. Mais je n'ai entendu qu'un seul coup et je vois deux lièvres.

— Il s'est trouvé que la Selva, répondit Tan Müllar, qui était restée en arrière, en a trouvé un deuxième au Ramstone et il est venu vers moi. J'étais aux Buse Magre et tu n'as pas dû entendre le coup.

— Alors ça a bien marché.

— Et toi, comment ça a marché ? demanda Giovanni Müllar.

— Comme d'habitude, une petite journée. De quoi manger.

— On est mieux ici dans la montagne que sur la place du village, intervint Valentin. Hier il y avait le discours du Duce pour la déclaration de guerre à l'Abyssinie et ils ont fait du boucan jusqu'à tard.

— Ça aussi, un jour ou l'autre, ça devait arriver, observa le père de Giacomo. Quand on allume un feu on ne sait pas toujours comment l'éteindre. En plus, une guerre ça ne coûte pas que de l'argent : il suffit de regarder ici dans nos montagnes, où on trouve encore des morts.

— Les journaux écrivent tous les jours qu'en Abyssinie il y a toutes sortes de richesses : or, pétrole, fer, café, terres fertiles, à exploiter, dit Giovanni Müllar en comptant sur les doigts de la main tous ces trésors.

— Mais s'il y a tous ces biens, comme on le dit, alors pourquoi les Anglais et les Français ne les ont pas pris avant ? se demanda Tan.

Voilà ce que disaient, ce jour-là, trois chasseurs et un récupérateur. Giacomo écoutait en silence et il ne savait qu'en conclure.

26.

Le 7 octobre les journaux annoncèrent que Adoua avait été reconquise. Le ministère de la Presse et de la Propagande avait transmis le « Communiqué n° 14 : Front d'Érythrée. Ce matin, 6 octobre, à l'aube, les troupes du 2ᵉ corps d'armée ont repris leur avance : à 10 h 30 elles sont entrées dans Adoua. Les notables, le clergé, et une partie de la population se sont présentés à notre Commandement pour y faire acte de soumission. »

À l'école l'enseignant d'histoire et géographie avait appelé Mario devant la carte de l'Afrique orientale et il lui avait fait épingler de petits drapeaux tricolores sur Adigrat, Entisciò, Adoua, Aba Garima. À la leçon de catéchisme on racontait l'histoire du père Reginaldo Giuliani, médaille d'or militaire, héroïquement tombé à côté d'une mitrailleuse dans un combat contre les hordes barbares des Abyssins ; l'enseignant de musique faisait chanter *Faccetta Nera* ; dans les maisons on parlait des chasseurs alpins de la Pusteria qui à Mài Cèu avaient défait la garde impériale du Négus. Le 18 novembre, la Société des

Nations avait appliqué à l'Italie les « iniques » sanctions économiques ; les ballila, les avant-gardistes, les Petites et les Jeunes Italiennes furent mobilisés pour un grand ramassage de toute la vieille ferraille des greniers, ainsi que des cuivres des maisons et, chez nous, des douilles d'obus en laiton qui partout servaient de vases à fleurs. Tout pour la patrie, pour fabriquer des armes, des munitions, des bateaux. Mais de l'or aussi, pour la patrie. Le 18 décembre la reine, sur l'autel du Soldat inconnu, fit don de son anneau nuptial, imitée dans toutes les mairies par toutes les épouses italiennes.

C'est sous le coup de ces émotions que Mario écrivit une lettre au Duce en lui demandant d'aller combattre en Afrique orientale. Il lui écrivait qu'il savait se servir d'un mousqueton, faire de longues marches et, au besoin, se servir aussi de ses poings.

Peu de temps après, il eut une réponse. À lui adressée arriva une double enveloppe, blanche et lourde, à en-tête officiel :

Opera Nazionale Balilla — Le Commandant — Cher avant-gardiste, ton acte de fervente foi fasciste et d'ardent patriotisme a été très apprécié du Duce qui, par mon intermédiaire, désire te faire part de sa profonde satisfaction. Renato Ricci.

La reconnaissance fut une « croix du mérite de l'ONB ». Son grand-père fut le seul à ironiser sur cet épisode : son père en fut orgueilleux, sa mère étonnée et angoissée, ses copains un peu envieux de son courage. Giacomo non, Giacomo lui dit seulement qu'il était fou.

Dans l'espace de quelques mois les prix des restes de guerre doublèrent et le cuivre atteignit jusqu'à cinq lires du kilo. Mais cet hiver-là, la neige ne permettait pas d'aller creuser dans les montagnes, aussi, dès que dans les prés commencèrent à apparaître les taches brunes du dégel, les récupérateurs reprirent leurs recherches. Au fur et à mesure que la neige se retirait, ils la suivaient, eux aussi, d'une côte à l'autre.

Au cours de l'été de 1936 peut-être bien que plus d'un millier de personnes se livraient à cette activité et beaucoup d'entre eux restaient sur les montagnes pendant des semaines, dormant dans les abris, dans les chalets d'alpage ou dans les cabanes des bergers. Les accidents aussi avaient augmenté, car l'appât du gain donnait de l'audace ; les moins graves n'étaient pas signalés, mais les journaux taisaient même les accidents mortels. La voiture de louage de Vittorio transportait les blessés dans les hôpitaux de la plaine, après que le médecin communal leur avait porté secours de la même façon que pendant la guerre : piqûre de morphine, médication sommaire, bandage.

Le soir du 9 mai eut lieu la proclamation de l'Empire. Sur toutes les places d'Italie se pressait le peuple en liesse, et, au comble de l'exaltation, on acclamait le Duce. Les paroles de Mussolini avaient été écoutées dans un grand silence jusqu'à la fin. Le Duce conclut : « ... le peuple italien a créé l'Empire avec son sang. Il le fécondera avec son travail et il le défendra contre quiconque, avec ses armes. Dans cette certitude suprême, élevez bien haut, légionnaires, vos emblèmes, vos épées et vos cœurs, pour saluer, après quinze siècles, le retour de l'Empire sur les fatidiques Collines de Rome. Saurez-vous en être dignes ? Ce cri est comme un serment sacré qui vous engage devant Dieu et devant les hommes, à la vie et à la mort. Chemises noires, légionnaires, salut au roi. »

Ce soir-là on cria un tonitruant « oui », mais beaucoup de pauvres gens, beaucoup d'émigrants, de bûcherons, de récupérateurs, de manœuvres, n'étaient pas sur les places pour crier « oui ! » Et chez nous il y avait deux frères cordonniers de profession, qui, en uniforme de jeunes fascistes, descendaient à bicyclette à Schio où des camarades leur remettaient des feuilles clandestines de propagande antifasciste. Ils les apportaient sur le Plateau et ils les faisaient circuler dans les hameaux les plus pauvres où elles étaient lues et cachées sous les tas de bois.

27.

Le grand ossuaire monumental allait être terminé. Une à une, toutes les caissettes avec les ossements des morts au champ d'honneur avaient été rangées en ordre alphabétique dans les niches le long des couloirs. Dans les angles de l'arc romain à quatre faces avaient été introduites les sculptures des Victoires ailées, avec flambeau et faisceau. On ôta les échafaudages et les derniers ouvriers furent licenciés.

Désormais, chez nous, si on n'avait pas un travail stable il fallait choisir entre aller en Afrique orientale avec les centuries de travailleurs, ou faire le récupérateur. L'Italie avait un grand besoin de métaux pour ses fabriques d'armement. Quatre fois par jour, le petit train à crémaillère descendait dans la plaine avec trois wagons de marchandises remplis de débris de métaux qui passaient à la fonderie en préparation d'autres armes, d'autres munitions. Pendant ce temps, en Espagne une autre guerre venait de commencer.

Des récupérateurs qui, en 15 et en 16, avaient combattu dans les Dolomites songèrent à se déplacer dans la zone de Cortina qui, d'après les renseignements qu'ils avaient recueillis, n'avait pas encore été exploitée. Giacomo et son père partirent, eux aussi, avec Bepi Pûn, Moro Soll, Angelo Càstelar. À moitié à pied, à moitié en car, sacs au dos, emportant leurs outils de récupérateurs, ils parvinrent deux jours plus tard au Passo di Falzarego. Du côté des Lagazuoi ils trouvèrent une baraque qui, en 1917, avait été abandonnée par les Italiens et ils en firent leur base.

Le lendemain de leur arrivée, ils partirent à l'aube et pendant une semaine ils ne creusèrent pas vraiment, mais ils explorèrent le terrain le long des lignes italiennes qui, depuis le Col, se rapprochaient en demi-cercle du Piccolo Lagazuoi. Ils poursuivirent leur chemin vers Cima Falzarego, Forcella Travenanzes, Forcella Col dei Bois, pour finir au Castelletto, sur les pentes de la Tofana di Roces.

Tous les soirs, ils rentraient à la baraque, avec un bon chargement de douilles de balle. La deuxième semaine ils explorèrent les lignes autrichiennes qui, du Sasso di Stria et le long de tout le Grande Lagazuoi, arrivaient jusqu'à la Torre di Fanis. Là aussi, le long des plates-formes de tir pour fusils et mitrailleuses, ils ramassèrent des sacs entiers de cartouches, explosées ou non. Ayant procédé à ce nettoyage, ils se mirent à creuser méthodiquement là où on voyait les signes des bombardements : il y avait beaucoup de shrapnels de 75 et de 149 avec leurs billes de plomb autour du point de chute.

Giacomo, pendant le travail, s'arrêtait quelquefois pour contempler le paysage inhabituel et sauvage, et le soir, il restait émerveillé, observant les rochers qui passaient du rouge au violet, en particulier la Torre di Fanis et la Tofana di Roces. Dans ces moments-là il aurait voulu qu'Irene soit là ; chaque soir, en regardant les premières étoiles dans le silence de la montagne, il avait une pensée pour elle.

Un jour après l'autre, ils avaient accumulé un beau tas de matériel, assez pour en charger deux camions. Pour la vente ils s'étaient mis d'accord avec un négociant de la Pustertal qui avait offert des prix encore meilleurs que ceux du Plateau. Mais la veille, arrivèrent deux carabiniers avec l'ordre de tout saisir : quelqu'un avait signalé leur présence au podestat de Cortina, et celui-ci avait envoyé un rapport au maréchal des carabiniers. C'était la première fois, par ici, qu'on récupérait le matériel de guerre qui, en tout état de cause, appartenait à l'État. L'acheteur, Ploner, qui était arrivé le jour suivant avec deux camions, invita dans sa voiture le père de Giacomo à descendre immédiatement avec lui à Dobbiaco chez le podestat de cette ville. Dans la discussion Giovanni dit :

— On parle d'autarcie, de valorisation des produits nationaux, de la nécessité d'économiser, et ici on vient nous saisir le matériel de récupération utile à la patrie. Et si nous on ne le récupère pas, est-ce que ça ne devient pas un grand danger pour les gens qui vont en montagne ?

Le podestat de Dobbiaco lui donna raison. Et puis ce matériel avait été ramassé en partie sur le territoire de sa commune. D'une voix décidée il donna deux coups de téléphone puis il dit à M. Ploner :

— Allez donc tranquillement charger votre camelote.

Pendant deux mois ils travaillèrent en paix dans la zone du Falzarego, puis ils se déplacèrent presque trois autres mois dans la vallée de la Popena en adoptant le même système de récupération qu'ils avaient suivi avec profit dans les Lagazuoi. De la Haute Popena, des pentes du Cristallo, du Monte Piana, ils apportaient le matériel recueilli juste au-delà du Ponte de la Marogna, dans le territoire de la province de Bolzano, afin d'éviter les ennuis avec le podestat de Cortina. M. Ploner venait chaque semaine charger un camion.

Dans ces montagnes-là Giacomo avait ramassé des pièces autrichiennes et italiennes, des médailles avec l'image de François-Joseph et de l'empereur Charles, mais on trouvait également des pipes et des chapelets aussi bien dans les tranchées italiennes que dans les tranchées autrichiennes. En revanche, à la différence du Plateau, il n'y avait que peu de restes humains ; ils supposaient qu'ici ils avaient eu le temps de les enterrer. Dans les endroits les plus invraisemblables, dans les galeries creusées sur des vires, ils trouvèrent beaucoup d'uniformes et de chaussures devenues immettables. Dommage.

Le 18 septembre ils vendirent le dernier chargement. Ils avaient fini par ressentir la nostalgie de leur maison et ils désiraient vivement se nettoyer du jaune de l'explosif dont ils étaient imprégnés. À Carbonin ils s'accordèrent un dîner à l'auberge avec de la polenta et du chevreuil. Le soir du 20 ils étaient dans leurs maisons avec un petit magot qui, à coup sûr, leur permettrait de passer l'hiver tranquillement. Ce même soir Giacomo alla voir Irene.

28.

La foire de la Saint-Matthieu apportait sa splendeur dans les rues et sur les places du chef-lieu. Des villages des environs, des hameaux, les groupes arrivaient, à pas pressés, ainsi que les charrettes tirées par des chevaux à la queue enrubannée. Beaucoup de femmes marchaient nu-pieds dans leurs sabots et, avant d'entrer vraiment dans la foire, elles s'arrêtaient dans quelque coin à la limite du bourg pour enfiler leurs bas et leurs chaussures. Les chevaux, les vaches, les moutons, les cochons et la volaille étaient tous du côté du village, où les prés étaient les plus proches du centre. Là où les paysans traitaient leurs affaires se tenaient les étals avec la quincaillerie, les outils pour les bois et la campagne, avec les harnais pour les chevaux et les cordes et, toujours au même endroit, depuis des années, le pseudo-Allemand marchand de rasoirs, de lames de rasoir, ainsi que de pierres à aiguiser, faux et couteaux. Il exaltait ses objets à l'étal en criant en allemand, toujours habillé à la tyrolienne, une plume de faisan à son chapeau. Il disait : « Moi fenir de Solingen comme ces choses que je fends » mais Mario l'avait entendu parler en dialecte vénète des Basses-Terres avec son compère qui lui donnait la réplique au milieu des paysans qui se pressaient autour.

Il faisait de bonnes affaires et il surprenait tout le monde en mastiquant les lames de rasoir dans le papier qui les entourait, et en brisant avec ses dents le morceau de verre qu'il utilisait pour montrer la bonne qualité de ses pierres à aiguiser, dont il se servait comme un verrier de son diamant. Une fois il fut mis en difficulté par un émigrant qui lui adressa la parole en bon allemand, mais il dévia habilement la conversation en lui faisant cadeau d'un petit paquet de lames fabriquées à Solingen.

À proximité du pseudo-Allemand se dressait l'étal des libraires de Pontremoli, père, mère et fille. C'étaient les Tarantola et ils arrivaient la veille de la foire avec leur charrette recouverte d'une bâche. Un petit cheval blanc tirait jusqu'ici le lourd chargement et il fallait l'aider pendant la longue montée.

Giacomo et Mario s'étaient reconnus dans la foule et ils s'appelèrent de loin. Ils se perdirent de vue, ils se retrouvèrent :

— Ça fait des mois que je ne te vois pas. Irene m'a dit que tu faisais la récupération dans les Dolomites. Ça a bien marché ?

— Très bien. On en a beaucoup ramassé et ils nous l'ont même bien payé. Quelles montagnes, à les voir de près ! Le soir, des fois, elles deviennent d'abord rouges et puis violettes. Mais c'était dangereux aussi, et dans certains endroits on a dû s'attacher avec une corde achetée à Dobbiaco. Regarde : je te fais cadeau de cette médaille que j'ai trouvée sur le Monte Forame.

Sur la médaille figurait le profil d'un jeune soldat avec, autour, cette inscription que Mario lut une syllabe après l'autre : « Ca-ro-lus IDG Imp Aus Rex Boh et Rex Apost Hunng». Sur l'envers, entre un trophée de lauriers et des drapeaux il lut : « For-titu-dini ».

— Merci. Elle appartenait certainement à un soldat autrichien. Je crois que c'est une médaille en souvenir du dernier empereur, qui s'appelait Charles.

— Écoute, Mario, j'ai là vingt lires et je voudrais acheter un cadeau pour Irene. Je pensais à un beau mouchoir en soie.

— Non, pas de mouchoir, on dit que ça porte malheur. Ils servent à essuyer les larmes. Allons voir aux étalages. Est-ce qu'Irene est là aussi ?

— Elle est avec sa mère, elle regarde les tissus.

— Alors si tu veux lui faire une surprise il ne faut pas qu'on se fasse voir.

Ils firent le tour des étalages, demandant les prix mais n'arrivant pas à se décider. À la fin Mario lui fit prendre un châle en laine dans les bleus clairs avec des franges blanches.

— Ça lui tiendra chaud aux épaules et elle se rappellera de moi, dit Giacomo.

— Moi, j'ai deux lires pour acheter des livres. Allons-y.

En poussant, en se perdant là où les gens s'attroupaient pour écouter les marchands les plus enjôleurs, ils arrivèrent devant l'étalage des Tarantola. Les livres étaient exposés bien en ordre : contes, aventures et voyages, romans d'amour, romans historiques, poèmes chevaleresques, policiers, livres d'occasion et même des dictionnaires pour les langues étrangères.

Après les avoir tous passés en revue, ils s'arrêtèrent devant les livres d'aventures. Mario hésitait beaucoup entre *Michel Strogoff* et *Robinson Crusoé*, mais ils coûtaient un peu plus de deux lires pièce et il aurait encore dû demander trente centimes à sa mère. En revanche, il y avait une série de livres « Écrivains italiens et étrangers choisis par Gian Dàuli » et, avec la réduction de cinquante pour cent, on pouvait en acheter deux. Il était peut-être difficile de choisir les bons. Mario les prenait en main, les feuilletait, lisait la couverture, les remettait en place. Les Tarantola le laissaient faire, car ils le connaissaient des foires précédentes.

— Allez, dépêche-toi, finit par lui dire Giacomo, je dois rencontrer Irene et mon père, là où on vend les cochons.

À la fin Mario se décida pour *Le Livre de la jungle* et *L'Appel de la forêt*.

— Quand je les aurai lus, je te les passerai. Ils doivent être bien.

Mme Tarantola lui rendit même vingt centimes :

— Va t'acheter une grappe de raisin.

Ils achetèrent deux grappes de raisin chez Betta, la femme à Toi.

Là où étaient exposés les animaux se tenaient les marchands de chevaux qui, de leur long fouet, indiquaient flancs, poitrail, jarrets, cou de la bête sur laquelle un possible acquéreur avait posé le regard, sans omettre jamais d'en ouvrir les mâchoires pour montrer la denture. De temps en temps ils détachaient un cheval du groupe, donnant de la voix pour qu'on leur laisse la place et faisant claquer leur fouet. Ils le faisaient aller, tenu en bride par un garçon d'écurie, tour à tour au pas et au trot. Dans un coin les maquignons cherchaient à mettre d'accord acheteur et vendeur en leur parlant à l'oreille, en les tirant par le bras, en cherchant à réunir ces deux mains droites après avoir craché sur la leur. Un peu plus loin, avant l'endroit où se tenaient les moutons, gardés par les chiens, car les bergers, comme toujours ce jour-là, étaient à l'auberge, se trouvaient les parcs avec les cochons destinés à l'engrais et les grandes cages en jonc avec les cochons de lait. C'est là que Giacomo avait rendez-vous avec son père.

Ils le virent qui était en train de traiter avec un marchand de Thiene. Lui voulait l'animal qu'il avait repéré pour cent dix lires, le marchand en voulait cent trente ; naturellement, ils conclurent l'affaire pour cent vingt. Au crayon gras, sur l'échine du cochon choisi, il fit écrire les lettres CG.

— Même s'il est maigre, il est beau, en longueur et sain ; à Noël il pourra arriver à cent vingt kilos nets, dit, à voix basse, le père à Giacomo.

Irene et son père arrivèrent à leur tour pour acheter un cochon ; ils le choisirent ensemble chez le même marchand qui garantissait les avoir achetés à l'alpage de Campo Poselaro.

Irene avait dans son cabas un coupon de toile

métisse chanvre et coton, et elle trouva le moment pour murmurer à l'oreille de Giacomo :

— Ma mère m'a acheté de quoi faire deux draps, elle m'a dit qu'il faut s'y prendre à l'avance, comme ça on ne s'aperçoit pas de la dépense, et quand on arrive au mariage, la dot est toute faite.

Mario avait entendu lui aussi, et il vit que Giacomo rougissait tandis qu'il disait à Irene :

— Je t'ai acheté un cadeau. Tiens.

Elle avait ouvert le paquet avec le châle en s'écriant :

— Comme il est beau ! Qu'est-ce qu'il a dû te coûter ! Tu n'aurais pas dû ! (mais tout en disant cela elle l'essayait sur ses épaules). Il me tiendra chaud cet hiver. Comme il est beau ! Merci.

Après avoir marchandé et payé les deux cochons, les pères d'Irene et de Giacomo invitèrent les trois jeunes gens chez Margherita pour manger tous ensemble la traditionnelle soupe aux tripes. Mario s'excusa en disant que sa famille l'attendait à midi pour déjeuner. Il les rejoindrait plus tard.

À la maison, Mario eut la surprise de trouver dans la cour deux jeunes brebis blanches : elles avaient été achetées par son oncle qui était revenu d'Amérique. Avec les toisons, avant l'hiver, il se ferait un beau gilet pour être bien au chaud, naturellement après en avoir mangé la chair avec la polenta.

Mario déposa les deux livres dans sa chambre et, ayant déjeuné en hâte, il retourna dans les rues de la foire pour retrouver ses amis. Il passa devant le filou qui faisait le jeu du bonneteau pendant que les gendarmes étaient partis déjeuner, ainsi que devant l'étalage des objets inutiles où le bonimenteur se faisait enlacer par un serpent. Il donna un coup d'œil au vendeur du miraculeux onguent de marmotte qui tenait justement, sur son petit éventaire, une marmotte vivante à l'intérieur de sa cage. Il pensait que Giacomo et Irene devaient l'attendre Chez Margherita et il y courut, mais ils étaient déjà sortis.

En revanche, parmi les nombreux clients, Silvio Scelli jouait de son vieil accordéon tout en chantant, pour gagner sa soupe aux tripes, la chanson de Adoua : « Adoua est conquise, elle nous est revenue / Adoua est reconquise / les héros renaissent / va, ô victoire va, tout le monde sait / que Adoua est conquise. / Crions alalà ! »

Il retrouva ses amis là où ils avaient acheté les cochons ; ils les sortaient du parc pour les conduire à la maison. Il se joignit à eux et, ensemble, ils se dirigèrent vers le hameau.

Chemin faisant ils rencontrèrent Matio et Bepi qui discutaient des prix des moutons et de la laine, qui avaient inopinément augmenté.

— C'est un mauvais signe, disait Matio, les Dalla Bona et les Ava me racontaient que les Marzotto et les Rossi ont payé un peu plus que le cours. Cela veut dire qu'ils prévoient encore des augmentations.

— Peut-être parce que les Allemands et Mussolini veulent faire la guerre. Donc mieux vaut garder le peu de laine qu'on a.

— Oui, si tu n'as pas vraiment besoin d'argent, c'est comme avoir de l'or.

— Mais rappelle-toi, Bepi : « *Ist pezzort lazzen de bolla, bedar de oba* », disaient nos anciens. Mieux vaut perdre la laine que le mouton.

— Mais regarde ces beaux cochons, tout en longueur. C'est sûr qu'ils vont être réussis, dit Bepi quand il les vit passer devant lui. Vous les avez payés combien ?

— Cent trente le mien et cent vingt celui de Giovanni.

— Vraiment une belle foire, aujourd'hui. Mais il n'y a pas beaucoup d'argent en circulation, dit Mario, et tout est devenu plus cher. C'est la faute à la guerre en Abyssinie.

Ils étaient arrivés à leur hameau. Giacomo, Irene et Mario, une badine à la main, couraient après les cochons qui quittaient de temps en temps la route, pour aller dans les prés. Les quatre hommes, derrière eux, parlaient de prix, de crise, de travaux. Du clocher, le son des six cloches concertantes « *ad honorem Sancti Mattei apostuli et evangelistae* » retentit et se répandit au-dessus des maisons, des prés, des bois et sur le travail des gens.

29.

— On ne peut pas travailler six mois et les six autres rester ici à se regarder dans le blanc des yeux, dit un après-midi le père de Giacomo.

— Qu'est-ce que tu veux faire ? Il n'y a qu'à attendre que l'hiver passe. Comme les blaireaux, disait Moro Soll.

— Toi, tu parles comme ça parce que tu as la buvette du Maddarello qui te rapporte toujours quelque chose. Mais nous ? Tous les autres ?

— Vous êtes tous inscrits à l'Œuvre nationale des loisirs, ironisait Moro. Regarde Nin, au contraire, qui n'est pas fasciste mais qui est un rouge, il a acheté neuf moutons.

— Bien sûr, mais lui il a aussi le foin. Les moutons ne mangent pas de la neige. Demain, je vais remplir les papiers pour aller travailler en Abyssinie.

En janvier, en même temps que lui, partirent également Angelo et Cristiano.

Ce ne fut pas un départ différent des autres. Maintenant dans les familles et dans les hameaux ils étaient habitués à voir partir les parents et les voisins ;

la France, la Suisse, l'Australie, l'Amérique, l'Afrique étaient des lieux lointains mais familiers également, car tout le monde avait un proche dans un pays ou dans un autre. Et voilà qu'en Afrique orientale les entreprises demandaient des ouvriers pour construire des routes. Les payes étaient correctes, meilleures qu'en France ; peut-être à cause des conditions difficiles, des lieux sauvages, de la vie dans les baraques et de l'organisation militaire.

Giacomo ne voulait pas partir, il avait Irene, et cette année encore il travailla à la récupération, dont il était devenu un expert aussi averti que son père : il savait comment se comporter avec les obus, dont il reconnaissait au premier coup d'œil le type et le calibre, il savait les désamorcer sans les faire éclater. Il reconnaissait sans erreur les signes que la guerre avait laissés sur le terrain, et il était rare qu'il lui arrive de creuser un trou pour rien. Au contraire, ce qui l'ennuyait c'était l'obligation de se présenter tous les samedis après-midi à l'instruction prémilitaire et de devoir marcher en colonne par trois sur les larges routes au pied des Laiten, où maintenant le monument blanc se détachait, solitaire.

Le soir, une fois rentré chez lui mort de fatigue, il faisait un brin de toilette à la fontaine du hameau et, après dîner, il ne manquait pas d'aller chez Irene pour parler de leur avenir. Il n'avait qu'un rêve : maintenant qu'il avait l'âge de se présenter, il attendait le prochain concours pour être pris dans la milice des forêts ; après la période prescrite, ils pourraient se marier. Il pensait que même si, ensuite, on l'envoyait en Piémont, dans le Frioul et voire même dans le Sud, c'était toujours mieux que d'aller à l'étranger. De cette façon ils resteraient ensemble, sans devoir faire de demande de rapprochement familial ou de mariage par procuration. Tout le monde ne pouvait pas avoir la chance de Matteo en Australie qui maintenant était devenu propriétaire d'une belle maison.

Un soir de novembre Mario vint cogner à la porte de sa maison. Il voulait lui faire savoir que l'avis de concours qu'il attendait avait paru. Il entra dans la petite cuisine où, depuis quelques mois, l'électricité était arrivée ; Giovanni avait voulu qu'ils la mettent avec le premier argent envoyé d'Afrique. Cela faisait presque deux ans que la mairie avait fait mettre une lampe pour éclairer la placette du hameau ; et lui, il sentait l'obligation de faire de même pour sa famille.

— Bonsoir. Je voulais parler à Giacomo. Il est chez Irene ?

— Et où veux-tu qu'il soit ? dit la grand-mère. Entre donc et attends-le ici, il ne devrait pas tarder à venir dîner.

— Non, mieux vaut que j'aille à sa rencontre.

— Reste avec nous pour dîner. On a des pommes de terre au lard, dit la mère de Giacomo.

— Non, merci, madame Rina. J'ai juste quelque chose à lui dire. Bonsoir et bon dîner.

Il sortit. Il commençait à neiger. Il le rencontra sur la route qui venait de la maison d'Irene et il lui dit que l'avis de concours pour la milice des forêts avait paru.

— Alors demain matin je vais à la mairie pour

avoir les papiers. Je les demande tout de suite. Je te remercie.

— Je te conseille de te faire délivrer une déclaration du commandant de la GIL, attestant que tu as été champion national des avant-gardistes. Ça pourrait être utile.

Le matin suivant il se rendit à l'Inspection des forêts pour y lire l'avis de concours et demander davantage de renseignements. Un brigadier lui communiqua la liste des pièces à présenter dans le délai fixé, en lui disant :

— Il y en a d'autres qui sont venus se renseigner. La sélection sera très sévère.

Pour être admis au concours, l'inscription aux organisations fascistes était déterminante et cela faisait deux ans qu'il ne payait plus sa carte. Il l'avait payée tant qu'il était avant-gardiste et qu'on lui donnait l'uniforme et les skis pour participer aux compétitions ; après, il ne s'en était plus occupé, cela lui était égal d'être inscrit ou pas inscrit. Pareil pour les compétitions. Mais maintenant ? Il prit son courage à deux mains et il alla trouver chez lui le commandant des jeunes fascistes :

— J'aurais besoin, lui déclara-t-il, après avoir dit bonjour, d'une attestation comme quoi je suis inscrit aux jeunes fascistes.

— Ça te sert à quoi ?

— C'est pour le concours de la milice des forêts.

— Toi aussi ? Mais ici, à la maison, je n'ai rien. Viens cet après-midi, après quatre heures, à la Maison du fascisme ; je serai là.

Une fois sorti de la maison du chef il se rendit à la mairie pour demander les papiers au bureau de l'état civil. Il fallait des feuilles de papier timbré et des timbres fiscaux, il fallait payer des frais de secrétariat. L'employé lui fournit aussi un modèle de demande manuscrite sur papier timbré à quatre lires. Le tout lui coûtait ce qu'il tirait d'une bonne journée de récupération.

Dans l'après-midi il se présenta à la Maison du fascisme. Le commandant prit le registre. Son nom y figurait, il avait été compté présent, même si pendant deux ans il n'avait pas payé sa carte, pour ne pas faire connaître à la fédération provinciale les retards de payement ou les défections.

— Je te fais une attestation comme quoi tu es inscrit et que tu participes à nos activités, après, je la ferai viser par le secrétaire politique. Viens la chercher dans deux jours. Mais là, je vois que ça fait deux ans que tu ne payes pas l'inscription. Ou plutôt, comme jeune fasciste tu ne l'as jamais payée. Comment ça se fait ?

— J'étais absent parce que je faisais de la récupération dans les Dolomites, et j'ai dû oublier.

— Oui, c'est probable. C'est pour ça que je ne te voyais pas aux réunions, mais l'année prochaine, rappelle-toi de payer. Et ton père ? D'Afrique, qu'est-ce qu'il écrit ? Au fait, pour être recruté, si on a moins de vingt et un ans l'autorisation des parents est nécessaire. Peut-être que celle de ta mère suffira. Au besoin, on fera faire une déclaration au podestat, disant que ton père est en Afrique orientale avec les centuries ouvrières.

— Merci. Je vous remercie, je viendrai retirer la déclaration.

— Dans deux jours, au samedi fasciste. Salut.

30.

Cet hiver-là s'écoula très lentement. Les premiers jours de janvier le thermomètre effleura, et un jour dépassa même les trente degrés au-dessous de zéro, au point que dans beaucoup de maisons du hameau les tuyaux gelèrent : pour avoir de l'eau on faisait fondre la neige. Mario aurait dû aller à Bormio pour les championnats nationaux de la GIL mais il attrapa la grippe et sa famille ne le laissa pas partir avec l'équipe. L'École de culture fasciste et l'École de culture catholique organisèrent des conférences du soir sur des sujets d'actualité, tels que : « L'empereur Auguste », « Guerre de scientifiques », « Les jésuites, de l'Espagne à l'Extrême-Orient », « La division Sila en Afrique orientale». Vinrent parler des professeurs d'université, des avocats célèbres, des aumôniers militaires, des monseigneurs, et les gens y allaient volontiers, tout simplement peut-être parce que la salle était bien chauffée.

Le soir du 25 janvier 1938 fut vraiment singulier. C'était une soirée froide, pleine d'étoiles, mais aussi avec des nuages étranges du côté du nord, poussés par un vent d'altitude d'est en ouest. Après huit heures, l'horizon, au-dessus des montagnes au nord, commença à se colorer en rouge, un rouge sombre. Dans un premier temps on pensa à un gigantesque incendie de forêts. Mais en hiver ? Avec la neige ? Et pourquoi sans fumée ? Le rouge devenait de plus en plus violent et il s'élevait petit à petit, envahissant le ciel. Les étoiles disparurent. C'était une soirée froide : à coup sûr, on était au-dessous des moins vingt, pourtant il y avait beaucoup de monde dehors, les yeux fixés sur ce ciel étrange qui fascinait en même temps qu'il faisait peur. Environ trois heures plus tard les étoiles réapparurent.

Les vieux y virent un mauvais signe, un avertissement : ce rouge dans le ciel signifiait pour eux le sang, la guerre. Le lendemain les journaux donnèrent la nouvelle en expliquant qu'il s'agissait d'une aurore boréale et que ce genre de phénomène, sous nos latitudes, était très rare, même à l'échelle des siècles. L'explication ne convainquit pas tout le monde : en Espagne la guerre civile causait des morts et des destructions infinies, et c'était bien là un avertissement que nous envoyait le Ciel : Ô hommes, il est encore temps. Arrêtez-vous !

Il s'agissait, dit encore quelqu'un qui avait lu la Bible, du deuxième sceau de l'Apocalypse : dans les nuages rouges de cette nuit d'hiver il avait vu le cheval rouge chevauché par celui « auquel on donna de bannir la paix hors de la terre, et que l'on s'égorgeât les uns les autres ; on lui donna une grande épée ». Il s'agissait simplement de savoir qui était le cavalier sur le cheval rouge avec la grande épée.

Au fur et à mesure que les semaines passaient, la guerre en Espagne devenait de plus en plus féroce. Quelqu'un de chez nous, illustre officier pilote, était là-bas avec l'escadrille « As de bâtons » ; mais du côté des républicains il y avait aussi des émigrants antifascistes de chez nous, et quatre d'entre eux tombèrent en combattant du côté des Brigades internationales. Cette dernière nouvelle avait suivi le chemin qui, de la France, arrivait à Schio, d'où, à bicyclette, les deux camarades en uniforme de jeunes fascistes l'avaient portée sur le Plateau.

En février survint une épidémie de grippe qui mit au lit plus de la moitié du village. Nino tomba sérieusement malade lui aussi : après une bronchite il eut une pleurite suivie d'une pneumonie. Le docteur Anelli lui imposa de garder le lit pendant un mois. Un après-midi Giacomo et Mario allèrent lui rendre visite et ils le virent pâle et amaigri. Ils ne restèrent pas longtemps car sa mère dit qu'il ne fallait pas le fatiguer. Dans la chambre régnait une forte odeur de médicaments et sur le poêle en brique, dans un petit bol, s'évaporait de l'eau avec de l'essence de pin mugho.

En s'en allant Giacomo lui dit :

— On se verra bientôt et au printemps on ira au bois du Garto chercher des nids.

Comme s'ils étaient encore des enfants qui cherchaient des nids et non des jeunes gens qui cherchaient les filles !

En mars et en avril survint une sécheresse qui fit monter les prix du foin à des niveaux jamais atteints, et le 25 avril, jour de la Saint-Marc, les prés, au lieu d'être verts, étaient blancs, couverts de neige : la fête du village voisin, à l'occasion de laquelle les garçons font cadeau aux filles de sifflets en terre cuite, fut déplacée au 1er mai. À nouveau, ce jour-là, il y eut de la neige mêlée de pluie, et des gens continuèrent à dire que c'était encore les conséquences de l'aurore boréale du 25 janvier. Au contraire, la grand-mère de Giacomo disait qu'il y avait toujours eu des drôles de saisons, que les gens ont la mémoire courte, et que beaucoup ne savent pas regarder en arrière. Dans sa jeunesse, il lui était déjà arrivé d'aller en luge à la fête de saint Marc, à travers prés, dans la neige, et à Noël elle avait vu fleurir la bruyère et les pâquerettes.

Comme toujours, entre la fin juin et juillet tous les prés furent fauchés : dans les hameaux et dans les rues du village, à l'heure du crépuscule, l'odeur du foin qui fermentait remplissait l'air et pénétrait dans les maisons.

À la date du 17 juillet, c'était un dimanche, vint jusqu'ici Sa Majesté Victor-Emmanuel III, roi d'Italie et d'Albanie, empereur d'Éthiopie, pour l'inauguration de l'ossuaire monumental : le « Sanctuaire », écrivaient les journaux. Les rues étaient ornées d'arcs de triomphe, sur cent mâts figuraient les écussons des Cent Villes d'Italie ; à toutes les fenêtres des drapeaux. Deux régiments de soldats étaient alignés le long du boulevard des Héros, des avions volaient au-dessus de l'arc de triomphe romain du Sanctuaire, lançant des fleurs et des rubans tricolores. Des milliers d'anciens combattants s'étaient rassemblés là, venus de toutes les régions ; et puis il y avait des généraux, des évêques, des préfets, des responsables de fédération fasciste, des miliciens, des jeunes fascistes, des avant-gardistes, des balilla, des Petites et des Jeunes Italiennes, des associations de militaires, des fanfares.

Giacomo et Mario, eux aussi, étaient alignés avec leurs amis le long des grands escaliers pour faire la haie au passage du roi empereur. Quand celui-ci descendit de son automobile, des salves de canon saluèrent son arrivée. Il monta les marches d'un pas nerveux, serrant son sabre contre lui. Un pas en arrière, haletant, le maréchal d'Italie et comte Guglielmo Pecori Giraldi, ex-commandant de l'armée du Plateau, suivait Sa Majesté. La fanfare des carabiniers jouait la marche royale.

Après qu'eut retenti trois fois la sonnerie du clairon, trois évêques concélébrèrent la messe ; dans les moments de silence la fanfare jouait la *Canzone del Piave*.

On n'avait jamais vu autant de monde, d'autocars, d'automobiles, de camions, de bicyclettes ; autant de cliques, de fanfares, de groupes folkloriques ; de bannières, de drapeaux, de fanions. De nombreux groupes mangeaient et buvaient dans les prés et, le soir, quand le soleil se coucha, les ivrognes eux-mêmes chantaient dans les rues les chansons de guerre et les hymnes patriotiques. Finalement, assez tard, avec la nuit, le silence revint pour les morts aussi. Cette nuit-là leurs ombres marchèrent-elles, silencieuses, à travers les montagnes ? Peut-être que Vu le savait, lui qui était resté avec les bergers.

Le maréchal Pietro Badoglio, à l'occasion de ce jour solennel, avait envoyé un message : « ... afin que le nouvel ossuaire ne soit pas une ombre close, il est nécessaire que tous les Italiens — qui, avec moi, l'ont prouvé dans la conquête de l'Empire — sachent toujours rester dignes de l'héritage de foi dans le destin de grandeur de notre patrie... » ; et Son Excellence Achille Starace : « ... L'ossuaire monumental, en rappelant des moments épiques de notre Grande Guerre, renouvelle, face aux Alpes inviolables, le cri de foi intrépide de l'Italie fasciste, conduite par le Duce, défenseur de la victoire et de ses artisans, dans la grandeur et la gloire de l'Empire. »

Et le fédéral, commandeur Bruno Mazzaggio : « ... le fascisme et le peuple de Vicence élèveront vers le ciel les enseignes et les fanions, pour saluer les héros qui offrirent leur vie et la victoire à notre patrie qui, sous la conduite infaillible du DUCE fondateur de l'Empire, s'élève vers ses destinées immortelles. »

Le grand avocat Franceschini, président de la province, avait, quant à lui, fait une transcription de la prière du *Notre-Père*, en remplaçant père par HÉROS. D'autres choses du même genre vinrent sous la plume de généraux, d'académiciens, de poètes et de députés.

Deux mois plus tard le Duce se rendit en visite en Vénétie. Au village étaient arrivés des personnages qu'on n'avait jamais vus avant ; ils se promenaient en silence, regardaient avec soupçon fenêtres et balcons, et même les bouches d'égout. Deux frères bûcherons qui, chaque fois qu'ils avaient bu un verre, se proclamaient socialistes, et un émigrant revenu des États-Unis qui, au Caffè Nazionale, avait osé dire qu'un président c'est mieux qu'un roi empereur, parce que s'il ne fait pas l'affaire on le change, furent réveillés à domicile par les carabiniers, et conduits pour quelques jours dans les prisons cantonales.

Un soir un groupe d'amis qui s'étaient retrouvés sur la place, et parmi eux Mario et Nino, fut accosté par trois individus et brusquemet interpellé par un de ceux-ci :

— Eh la bande, dispersez-vous !

Tout d'abord ils ne comprirent pas ce que ces gens voulaient ; ceux-ci répétèrent leur intimation en l'accompagnant de gestes expressifs des mains. Les amis s'éloignèrent lentement et allèrent au cinéma où on passait *Sentinelles de bronze*.

Le 25 septembre fut la journée du Duce. Les routes qui montaient à l'ossuaire monumental furent dégagées, le peuple fut massé le long du parcours, entièrement délimité par des barrières, que « Lui, le Duce » emprunterait. Là-haut, avant le grand escalier qui montait au monument, il n'y avait que deux veuves de guerre, les podestats des Sept Communes, un manipule de jeunes fascistes pour rendre les honneurs, et parmi ceux-ci, naturellement, Giacomo et Mario.

Le Duce descendit de voiture, écouta, la mine renfrognée, le discours du podestat du chef-lieu, passa en revue le manipule de jeunes fascistes et, au pas de bersaglier, entra dans l'ossuaire où il resta quelques minutes. À sa sortie il monta sur la terrasse pour admirer le panorama.

Le discours eut lieu dans l'après-midi à Vicence. Du Plateau étaient descendus de nombreux camions pleins de GIL et de miliciens. Aux milliers de personnes qui se pressaient sur la Piazza dei Signori et dans les rues adjacentes, Mussolini parla de l'Italie forte et invincible, et d'une probable guerre imminente. La foule cria :

— Nous sommes prêts ! Tout de suite ! Du-ce ! Du-ce !

31.

Tous les jours Giacomo attendait sa convocation pour le concours. Quand il sut que les autres du pays avaient déjà été convoqués à Rome il fut très déçu, et il se rendit à l'Inspection des forêts pour voir ce qu'on lui dirait de son exclusion. On ne sut rien lui répondre, ils ne comprenaient pas, eux non plus, pourquoi il n'avait pas été convoqué. Il se remit avec amertume à faire le récupérateur. Mario, fin novembre (il venait juste d'avoir dix-sept ans), partit pour Aoste où, à l'École militaire centrale d'alpinisme *Duca degli Abruzzi*, il avait demandé à suivre un cours de ski et d'escalade pour spécialistes. Nino, en juillet 1939, comme il cueillait des edelweiss, dévissa sur des rochers. Tous ses amis le veillèrent dans une petite église, après avoir recouvert son corps de fleurs.

Giacomo se présenta au conseil de révision et, comme c'est l'habitude pour l'occasion, les conscrits sonnèrent les cloches à toute volée. Ce jour-là non plus il ne comprit pas pourquoi le colonel qui présidait la commission de recrutement, au lieu de le verser dans les chasseurs alpins, comme presque tous les autres jeunes du pays, l'avait envoyé au loin dans l'infanterie. Non, il ne pouvait pas savoir que sur la table du colonel il y avait une note signalant que, sous son nom, au casier judiciaire, il était écrit : « En 1935 a participé à la grève, pendant la construction de l'ossuaire monumental. »

Sur les montagnes l'automne était lumineux et Vu, comme à l'habitude, creusait méthodiquement le long des tranchées. À l'intérieur de son sac il avait rangé dans les deux kilos de cartouches et peut-être dix kilos de plomb ; en sortant d'une casemate de Cima delle Saette il se retrouva devant un setter et nez à nez avec un homme qu'il reconnut. C'était le docteur Fabrello qui, chaque année, le dimanche, montait chasser le petit coq de bruyère.

— Bonjour Albino, lui dit le médecin. Comment allez-vous ?

— Bien. Bonjour. Je n'ai pas besoin du docteur. Vous êtes ici pour les coqs ?

— Oui, mais sans fusil. Je viendrai après la Saint-Matthieu. Vous en avez levé ?

— Sur le Chiesa il y a les lagopèdes des Alpes. Les coqs par-ci par-là. Les bergers cette année en ont trouvé pas mal.

— Albino, vous êtes au courant de la guerre ?

— Quelle guerre ?

— Vendredi dernier l'Allemagne a déclaré la guerre à la Pologne et hier la France et l'Angleterre ont déclaré la guerre à l'Allemagne.

— Ça recommence exactement comme en 14,

continua Vu, marmonnant un au revoir tout en s'éloi-
gnant sur le chemin, son chargement sur le dos.

Au Fontanello degli Alpini il rencontra Giacomo :

— Gamin, t'as entendu la nouvelle ? Le docteur
Fabrello vient de me dire que la guerre a éclaté.
Prépare-toi.

— Comment ? Quelle guerre ?

— La guerre. L'Allemagne contre la Pologne, la
France et l'Angleterre contre l'Allemagne. Comme
en 14. Après quoi ce sera le tour de l'Italie, de la
Russie et de l'Amérique. Va chez ta fiancée avant
qu'on t'appelle ; ne perds pas ton temps avec la récupération, continua Vu, le visage rembruni.

Il se souvenait peut-être de la fois où c'était lui qui
avait été appelé pendant l'hiver 14 : de ces jours
pleins d'amour avant le départ, et de l'amertume du
retour.

— Gamin, lui dit-il encore, descends chez toi ce
soir. Du matériel que tu as dans la galerie je m'en
occuperai, quand ils seront là pour charger. Je t'ap-
porterai l'argent. Va, va voir ton Irene.

Au début du printemps 1940, les récupérateurs
avaient recommencé à travailler. Le 10 juin ils étaient
du côté de l'Ortigara et Nin Sech avait raconté que
c'est ce jour néfaste-là qu'en 1917 il était allé à l'assaut de cette montagne avec le bataillon des Sept
Communes. Vingt-trois ans à peine s'étaient écoulés,
et déjà se déchaînait une seconde guerre mondiale !

— Pensez un peu, disait Nin, d'abord tirer pour
tuer les hommes et maintenant aller à la recherche
des obus pour pouvoir manger !

Ce soir-là ils dormirent dans une galerie du Monte Chiesa : ils ne savaient pas que, dans ces dernières heures d'un long après-midi de printemps, Mussolini, du balcon du Palazzo Venezia, avait annoncé l'entrée en guerre de l'Italie au côté de l'Allemagne. Ils l'apprirent le lendemain quand Mario Ballot, qui était descendu au village pour rencontrer une fille, une fois revenu parmi eux, raconta, en le mimant, le discours du Duce. Assis autour du Fontanello dei Campigoletti, où ils s'étaient réunis pour manger, ils se tordaient de rire, mais Nin Sech et Massimo étaient sérieux, l'air pas content, le morceau de polenta leur restait en travers. À un certain moment, Nin se leva et, criant un juron — lui qui ne jurait jamais —, lança sa pioche au loin, saisit son sac avec ses affaires et il se mit en route en silence le long de la vallée de l'Agnella, maudissant le fascisme et la maison de Savoie.

L'été passa rapidement. La récupération rapportait et même ceux qui avait l'obligation de la formation prémilitaire ne songeaient pas à perdre une journée de travail pour aller au samedi fasciste. Dans les hameaux, on entendait les nouvelles de la guerre à travers la radio de Maria Plebs, ou on les lisait dans les lettres des soldats au front. Dans les montagnes les récupérateurs parlaient librement parce qu'aucune oreille ennemie ne pouvait écouter. Après la défaite de la France et la déconvenue de ceux qui, à Paris, pendant la guerre d'Espagne, avaient manifesté avec le Front populaire contre le fascisme, arrivèrent les nouvelles de la guerre contre la Grèce, et un soir de fin novembre, à la veillée, fut commentée une phrase qu'Albino Pûn, caporal-chef de l'artillerie de montagne, avait écrite à sa famille : « ... ici, en Albanie, la terre est très dure, on ne pioche jamais, nous, on bêche seulement... » Et chacun sait qu'en piochant on avance et qu'en bêchant on recule, mais ceux de la censure ne l'avaient pas compris.

Les avis de décès des premiers soldats tués sur les champs de bataille arrivèrent aussi : Rocco della Nana, Toni de la Casetta Rossa, Bepi Mésele, Bibi. Non, ce n'était plus un jeu comme quand on était enfants sur les tas de pierres des Laiten ou dans les tranchées de la Clama, ce n'était pas des morts pour faire semblant, et dans les maisons où arrivait la nouvelle, les portes et les fenêtres restaient closes, et l'archiprêtre allait en silence rendre visite à ceux qui pleuraient.

C'est dans cette période-là que Giacomo reçut sa feuille d'appel. Le train, dans un premier temps, le conduisit pour l'instruction dans une caserne du Piémont. Puis avec un groupe de recrues, il erra en train à droite et à gauche à travers l'Italie, à la poursuite d'un détachement qu'il n'atteignait jamais car il se déplaçait sans cesse. Enfin, dans les environs de Rome, il trouva son affectation définitive au 81ᵉ régiment d'infanterie de la division Torino, qui, dans les papiers de l'état-major, faisait partie d'un corps auto-transporté, même si les moyens de transport manquaient.

En juin 1941, après qu'en Albanie s'était conclue la campagne contre la Grèce, Mario était venu en permission spéciale et, ce jour-là, à Vicence, il était dans l'attente du train qui devait le ramener au régiment.

En entrant au Foyer du soldat, assis dans un coin, seul, il reconnut Giacomo. Il s'approcha en souriant, en l'appelant par son nom. Giacomo se leva, d'abord perplexe, sur le coup, en voyant un sergent des chasseurs alpins, puis étonné et, enfin, ému. Ils s'embrassèrent et ils demandèrent tous les deux en même temps :

— Tu vas où ?

Ils s'assirent, ils restèrent un moment en silence, en se regardant. Puis Giacomo répéta :

— Tu vas où ? Moi, je vais chez moi pour une courte permission car je suis sur le point de partir en Russie.

— Je suis resté chez moi un mois, j'étais allé en Albanie. Maintenant je retourne au régiment. Ça fait presque deux ans qu'on ne s'est pas vus.

— Des fois le temps va vite, des fois il va lentement. Comme tu vois, ils m'ont mis dans l'infanterie. Je suis mon destin.

— Comment va Irene ? Et ta famille ?

— Irene est à la maison, où elle m'attend. Mais ça aurait été mieux de suivre son conseil il y a trois ans quand elle me proposait d'aller en Australie ; de demander à mon beau-frère de me faire venir, et après de nous marier par procuration au bout d'un an. J'ai attendu trop longtemps ; quand j'ai décidé de demander mon passeport, on m'a répondu qu'on ne pouvait pas me le donner à cause des obligations militaires.

— Je suis désolé pour toi. Mais cette guerre devrait finir vite et après, tout va changer. Et ta mère ? Est-ce que ton père est revenu d'Afrique ?

— Ma mère va bien ; mon père est revenu avec des amibes, un peu avant que la guerre n'éclate. Ma grand-mère est morte l'hiver dernier.

— Ta grand-mère, c'était vraiment une brave femme et qui avait toute sa tête.

Ils parlèrent de trois jeunes du pays morts en Albanie (Rocco avait été leur camarade d'école) ; de Nino qui était tombé des rochers pour cueillir des edelweiss. Ils se souvinrent aussi des compétitions de ski et des filles.

— Chez moi, dit Giacomo, j'ai encore un livre que tu m'avais prêté, je ne te l'avais pas rendu parce qu'il me plaisait.

— C'est quel livre ?

— *Michel Strogoff*. Ma grand-mère aussi le lisait.

— Ne t'en fais pas, quand nous reviendrons je t'en ferai lire des plus beaux. Tu prends quelque chose ? On mange quelque chose ensemble ?

Ils mangèrent chacun un sandwich avec du fromage, ils burent deux verres de vin. Le train pour Milan-Turin entrait en gare et Mario se leva.

— Dans un quart d'heure le tien aussi devrait partir. Ce soir tu seras avec Irene et ta famille, dit-il, rappelle-toi de leur dire bonjour de ma part.

Giacomo l'accompagna jusqu'au quai. Ils ne se dirent plus rien. Le train arriva ; Mario monta dans un wagon de troisième classe, et il se mit à une fenêtre :

— Ciao, lui dit-il.

Et après, comme si douze années ne s'étaient pas écoulées, en riant :

— Giacomo, est-ce que tu sais me dire la classification du cerisier ?

Giacomo resta perplexe, puis il rit lui aussi et, tandis que le train se mettait en marche, il lui cria :

— Dicotylédone, famille des rosacées, genre *Prunus,* espèce *avium.*

Sept mois après cette rencontre Mario se retrouva lui aussi sur le front russe. C'était l'hiver le plus froid du siècle, la machine de guerre allemande en fut congelée. Avec d'autres chasseurs alpins il devait y entraîner à la pratique des skis les soldats du corps expéditionnaire italien. Il n'y a qu'au régiment qu'on pouvait penser ça, à savoir entraîner au front des gens qui n'avaient jamais skié. Mais quand ils arrivèrent en Russie on les affecta au bataillon de skieurs Monte Cervino, avec lequel ils étaient partis, et qui était composé de volontaires : tous des têtes brûlées. Ils étaient arrivés après un voyage interminable au cœur de l'hiver et, de Jassinovataja, dans les environs de Stalino, ils continuèrent à pied vers Rikovo. Un soir ils s'arrêtèrent dans un village et Mario, avec son groupe, passa la nuit dans une isba abandonnée. Sur le sol se trouvait encore la paille sur laquelle devaient avoir dormi des soldats de passage. Son regard fut attiré par un mur enfumé où il lut ces mots écrits avec un morceau de charbon : BONJOUR AUX GENS DU PAYS QUI PASSENT PAR ICI et, en dessous, le prénom et le nom de Giacomo, celui de son hameau et la date du 18 décembre 1941. Son cœur se réjouit et il sourit, pensant qu'il le rencontrerait.

32.

... Dans la maison silencieuse. Sur le rebord de la cheminée il y avait un morceau d'obus autrichien de 10. Je me souviens qu'on y déposait les pincettes pour prendre le bois qui brûlait et arranger le feu ; sous ce morceau d'obus je vis une feuille pliée. Je la pris, je soufflai la poussière, l'ouvris et lus :

Ministère de la Guerre — Direction générale du recrutement des sous-officiers et de la troupe, bureau de l'état civil — PROCÈS-VERBAL DE DISPARI-TION — relatif au fantassin... rempli par le dépôt du 81ᵉ régiment d'infanterie Torino à la date du 30 mars 1942.

Il est attesté que d'après le document susdit il résulte que... à l'occasion du combat advenu le 25 décembre 1941 à Novo Orlowka, front russe, a été porté disparu, et qu'après cette date il n'a pas été reconnu parmi les militaires dont la mort ou l'état de prisonnier ont été reconnus. Trois mois s'étant écoulés depuis la date où il a été porté disparu et étant donné que les recherches ultérieures et les enquêtes entreprises dans tous les secteurs et sous toutes les formes se sont révélées infructueuses en ce qui le concerne et que, de ce fait, il n'a pas été possible, entre-temps, de savoir s'il est encore en vie ou s'il est effectivement décédé, on a procédé à la rédaction du présent procès-verbal de disparition conformément à l'art. 124 de la loi relative au temps de guerre. À valoir ce que de droit.

NB. Le présent acte est sans valeur aux effets de l'état civil.

GLOSSAIRE

ADOUA : défaite italienne en Abyssinie (1896).

ALALÀ Eia, Eia, Eia Alalà : cri d'ovation et d'exhortation en usage parmi les fascistes.

AS DE BÂTONS : les bâtons (*bastoni*) sont une des quatre « couleurs » du jeu de cartes le plus répandu en Italie, d'où le jeu de mots donnant son nom à cette escadrille.

AVANT-GARDISTES (*Avanguardista*) : jeunes, membres des organisations paramilitaires fascistes.

BATTISTI Cesare : patriote italien (1875-1916), né à Trente, exécuté dans cette ville par les Autrichiens.

BALILLA : à l'époque fasciste, nom donné aux enfants entre huit et quatorze ans encadrés dans des formations à caractère paramilitaire. D'où l'existence de l'organisation Opera Nazionale Balilla (ONB). Balilla, à l'origine, était le diminutif porté par le jeune garçon qui, en 1746, à Gênes, lança une pierre contre les Autrichiens, lesquels furent alors chassés de cette ville.

BILLARKINDER : la vieille langue du Plateau, le

cimbre, est un parler germanique. En allemand *enfant* se dit en effet *Kind*.

CHARBONNERIE : voir Jeune-Italie.

CIMBRE : l'ancienne langue du Plateau, d'origine nordique. Mais l'identification aux Cimbres de l'histoire, battus par Marius en 101 avant Jésus-Christ, est quelque peu mythique.

CAMARADE/COMPAGNON : correspond à *compagno/camerata* ; *compagno-camarade* est utilisé par les militants de gauche, *camerata* par les fascistes.

FACCETTA NERA BELL'ABISSINA : (Joli museau noir, belle Abyssinienne...) une des chansons les plus célèbres de l'époque fasciste.

FEDERALE : à l'époque fasciste, chef du parti dans une *provincia* (département).

FÉDÉRATION : voir federale.

GIL : ensemble des organisations fascistes encadrant la jeunesse.

GIOVINEZZA : hymne fasciste.

JEUNE-ITALIE (*Giovine Italia*) : association secrète fondée par le leader de l'Unité italienne Mazzini, en 1831. La Carboneria (carbonarisme, Charbonnerie) peut lui être assimilée.

LITER : litre, litron dans la langue locale. D'où le jeu de mots par assonance avec Hitler.

MANIPULE : division de type militaire reprise au système romain par les fascistes.

MILICE : sous le fascisme, nom donné à un certain nombre de corps de l'administration territoriale, comme les gardes forestiers appelés milice des forêts.

La Milice par excellence était la « Milizia Volontaria per la Sicurezza Nazionale », organisation paramilitaire fasciste fondée en 1923.

OPERA NAZIONALE BALILLA : voir BALILLA.

OPERA NAZIONALE DOPOLAVORO : littéralement : Œuvre Nationale après-travail. Le *dopolavorista* y est inscrit. Il s'agit de l'institution (fasciste) chargée d'organiser les activités récréatives et culturelles des travailleurs, en somme de gérer les loisirs. D'où le jeu de mots de la page 196.

OVRA : police secrète du régime fasciste.

PIAVE : fleuve sur la rive droite duquel les troupes italiennes arrêtèrent leur retraite et résistèrent aux Autrichiens en 1917.

PODESTAT : nom donné au maire, nommé par le pouvoir central, à l'époque fasciste.

QUADRUMVIR : personnage important du régime — un des quatre (imitation du latin).

SEPTEMBRISTE : le 20 septembre 1870, les troupes italiennes forçaient les défenses papales, mettant fin au pouvoir temporel de l'Église catholique. Les laïques italiens ont toujours considéré cette date comme un point de référence.

STARACE : secrétaire du Parti National Fasciste.

TANA : personnage qui apparaît dans le roman précédent, *L'Année de la victoire*, éditions Robert Laffont, 1998.

TÖNLE : héros d'un précédent roman de Mario Rigoni Stern, *Histoire de Tönle*, éditions Verdier, 1988 ; édition 10/18, 1995.

Imprimé en France sur Presse Offset par

BRODARD & TAUPIN

GROUPE CPI

La Flèche (Sarthe), 10518
N° d'édition : 3224
Dépôt légal : février 2001
Nouveau tirage : décembre 2001

917 - 791 7072
731 4072

Brice - Twins -

718. 402 1768

Antony Dent.

pressila

860 7389118